BRAW AGOS

braw
agos

SONIA EDWARDS

bwthyn
GWASG Y BWTHYN

Braw Agos
SONIA EDWARDS

© Sonia Edwards
© Gwasg y Bwthyn, 2022

ISBN : 978-1-913996-64-2

Dymuna'r cyhoeddwyr gydnabod cymorth ariannol
Cyngor Llyfrau Cymru

Dylunio mewnol a'r clawr : Almon
Llun yr awdur : Dylan Lewis Jones
Ffotograff Rali Yes Cymru : Llywelyn2000 / CC BY-SA 4.0

Cyhoeddwyd gan
Gwasg y Bwthyn, 36 Y Maes, Caernarfon, Gwynedd LL55 2NN
post@gwasgybwthyn.cymru
www.gwasgybwthyn.cymru
01558 821275

DIOLCH

i Marred eto fyth am ei ffydd ynof
a'i chefnogaeth ddiamod bob amser

i Ceri, am fod y gyntaf i ddarllen y teipysgrif,
ac am ei geiriau calonogol a'i brwdfrydedd

I Ceri, Rhys a Madi

Yn fraw agos ar frigyn
Gwelaf leuad llygadwyn
Mor oer â'r marw ei hun

Gerallt Lloyd Owen – *'Cilmeri'*

LLYN CEDOR

Llyn Gwyryfon oedd yr enw a roddid arno ar bob map ers cyn co'. Ond Llyn Cedor ydi'i enw fo ar lafar ers cyn i bobol ddechra dysgu sgwennu. Croes-ddweud os fuo 'na erioed. Mae o'n llechu fel bygythiad yn ei dywyllwch ei hun, a niwl y gors yn anadlu drosto. Gorchuddir düwch ei wyneb gan ddryswch o chwyn tagu clymog, cyfrwys. Mi fasa hwnnw'n ymgordeddu am dy ganol di fatha neidar, medda rhai. Dy dynnu di i'r gwaelod. Os oes yna waelod, medda rhai eraill. Dim rhyfedd bod Llyn Cedor wedi bod yn rheitiach enw iddo fo, yn enwedig â'r tyfiant gludiog o gedor-y-wrach yn gwarchod ei lannau, a'r dŵr ei hun yn cuddio dyn a ŵyr pa ddirgelion wrth stemio yno'n llonydd fel crochan yn oeri.

"Ffwc o le," medda Harri Lleiniog. "Faswn i'm yn dod yma ar 'y mhen fy hun, myn f'enaid i."

"Lwcus bod 'na bedwar ohonan ni, felly, a dau dractor i dy dynnu di allan tasat ti'n disgyn i mewn!" medda Keegan.

Hawdd i ti wneud hwyl am fy mhen i, meddylia Harri. Rwbath ifanc fatha chdi, ag enw dwytha fel enw cynta. Rhy ifanc o hyd i weld peryg. I barchu ofergoel. Hen le anghynnes fu'r gors 'ma erioed. Yn berwi o straeon ysbryd a chwedlau iasol. Mae yna rybudd tywyll yn y tamprwydd sy'n chwalu ffroenau dyn. Dydi Harri ddim yn teimlo'n esmwyth yma, hyd yn oed yng ngolau dydd. Wel, hynny o olau dydd a lwydda i wasgu rhwng y drain duon a'r brwgaits. Hen beth anlwcus ydi draenen ddu hefyd. Gwrachod yn torri eu ffyn ohoni. Mae Harri Lleiniog yn dynn ar ei drigain oed, yn un o genhedlaeth a fagwyd ar hen hanesion ei nain, ac mae tynnu cymaint o'r drain duon 'ma mewn lle fel hyn yn ei anesmwytho.

Ond ddoe roedd hynny, a ddywedodd o ddim byd. Heddiw mae'r coed i gyd wedi eu sbydu, a phobman wedi goleuo. Mae'n rhaid i Harri gyfaddef, ond dim ond wrtho'i hun ac nid wrth y Keegan ben rwd 'ma, ei bod hi'n llai bygythiol yr olwg yma erbyn hyn. Efallai mai noethni newydd y tirwedd sy'n gyfrifol, ond mae hi'n dal yn oerach nag y dylai hydref cynnar fod. Mae yna ias yma o hyd, rhywbeth na all Harri roi'i fys arno. Ond mae o'n bod. Diolcha am ei siaced drom o dan y wasgod *high-vis*. Mae'r hogia i gyd wedi gwisgo'n debyg iddo, eu cefnau neon melyn yn ddiarth ac annaturiol yng ngwyll parhaus y gors. Dydan ni ddim i fod yma, meddylia. Maen nhw allan o'u cynefin, fel dynion ar y lleuad.

Mae'r pwmp sy'n gwagio'r llyn wedi bod yn rhedeg drwy'r nos. Dim iws gwastraffu amser, a hithau'n dywydd sych. Dyna mae Woody wedi'i orchymyn. Bellach mae yma sawl llwyth trelar o grafal wedi'i wagio dan draed i gynnig gwell sylfaen i'r faniau a'r digar, ac i'r pwmp dŵr olwynog sydd wedi ei lusgo i lawr at ymyl glan y llyn. Mae'r lle'n ymdebygu fwyfwy rŵan i safle adeiladu. Nid bod yma adeiladu go iawn yn digwydd. Nid ar ganol tir cors. Datblygiad sydd yma. Troi'r lle'n bysgodfa. Dim ond Woody fedrai edrych ar le fel hyn a chael syniad i'w droi o'n bres.

Mae Woody wedi crefu ar Harri i fod yn fforman ar y job oherwydd ei fod o wedi gweithio i'w dad o, Clement Woodville-Jones. Roedd Clem yn un o'r goreuon. Dyn o egwyddor. Mae'r rheiny'n brin, yn enwedig yn y gêm yma. Ei fab o, Graham, etifeddodd y busnes. Mae Harri'n ei gofio fo mewn trowsus bach. Hoffus. Dipyn o gês. Ond ddim o'r un toriad â Clem. Graham yn fwy o jansiwr. Braidd yn or-hoff o'r merched. Beryg bod hynny'n egluro'r talfyriad anffodus o'i gyfenw. Fyddai Clement Woodville-Jones, heddwch i'w lwch, byth yn goddef blasenw fel Woody. Ond fyddai neb wedi meiddio'i alw'n hynny chwaith, hyd yn oed pe bai o wedi'i haeddu fwya erioed. Roedd Clem yn un o'r dynion hynny a gawsai barch heb fynnu'i gael, dim ond am ei fod o'n foi iawn. Enillodd ei gyfoeth trwy ddewis yn ddoeth. Yn wahanol i Clem, mae llwyddiant ei fab i ddal ei afael yn ei etifeddiaeth yn dibynnu'n fwy ar lwc nag ar ddoethineb. Fyddai'r hen Glem byth wedi mentro prynu aceri o dir cors er mwyn tsiansio gwneud ffortiwn. Ond mae gan Woody, fodd bynnag, ei ddawn unigryw ei hun – y reddf o allu dilyn ei drwyn a landio ar ei draed.

Wel, hynny yw, tan heddiw.

Mae'r tawelwch rhyfedd yn canu yng nghlustiau Harri ar ôl i'r pwmp gael ei gau. Rhyfedd sut mae rhywun yn cynefino hefo sŵn parhaus, ac wedyn yn teimlo hiraeth chwithig ar ei ôl. Mae hi fel pe bai'r peiriant golchi anferth a fu'n byw yn ei ben ers oriau wedi cael switsh-off ar hanner ei wagio.

"Ocinel, Hazza. Odda chdi'n rong, mêt." Mae Keegan yn edrych yn fengach nag erioed yn ei het galed, fel hogyn bach yn chwarae mewn dillad bildar, rŵan bod yr holl olau dydd yn golchi'i wyneb o. "Dydi'r llyn sbwci 'ma ddim yn ddiwaelod, yli. Sbia!"

Mae Harri'n sbio. Mae mwy na hanner y car wedi dod i'r golwg, ac mae'r tawelwch yn dewach rŵan, fel mewn eglwys. Na, nid eglwys. Mynwent. O achos bod yna rywun yn sedd y gyrrwr. Ac mae Harri'n tynnu'i het galed yn reddfol, am mai dyna fyddai pobol yn ei wneud ers talwm pan oedden nhw'n gweld corff marw. Tu ôl iddo, mae Keegan yn chwydu'i ginio i'r cerrig mân. Chwydu, a stopio. Fatha twrw'r pwmp dŵr.

Pen draw i bopeth.

Oes, mae yna waelod i bob dim.

Heddiw wedi profi hynny, yn do?

MONO

Roedd yr hydref ynddi hi rŵan. Dim ond rhyw dwtsh. Brathu'n sodla ni. Gwneud i ni fod isio côt gyda'r nos. Côt ddu oedd gen i'r noson honno. Doedd mantell o dywyllwch ynddo'i hun ddim digon o garantî. Na'r ffaith nad oedd yna CCTV ar gyfyl lle mor ddiarffordd. Doedden ni ddim yn mynd i gymryd tsiansys. Roedd dewis pa gôt i'w gwisgo'n no brênar i Gibs, ac yntau'n byw – ac wedi cysgu hefyd, ar brydiau – yn y siaced ledr honno. Sgin i'm co' ohono fo hebddi, hyd yn oed mewn hîtwef. Gari 'Gibs' Gibson (Woodville-Jones oedd ei gyfenw iawn, ond Gibson Memphis oedd mêc ei blydi gitâr pôsar o, de?), yr yltimet cŵl dŵd, allan yn torri'r gyfraith yn edrach fatha Elvis, tra rôn i'n dal yn boring mewn *parka* ddu. Ac Arthur Twm ddiniwed, annwyl, glyfrach-na'r-un-ohonan-ni'n edrach fel reffiwjî, neno'r Iesu, mewn cagŵl nefi blw, a golwg jyst â starfio arno fo.

Roedd fy nhraed inna fatha brics mewn pâr o hen Gonverse a dim sana. Sgidia-mynd-am-beint, fel ddaru ni'n gynta i drafod stratîjics. Mi steddon ni yn y gongol o dan y bwrdd darts am ei bod hi'n dywyll yno, ac am bod dartbord y Bedol yn ddim byd bellach ond relic o hen oes pan guron nhw dîm Bwl Llannerch-y-medd, a Nowi

5

Chwinc mewn bŵts cowboi a throwsus siwt yn codi twrw rhwng pawb ar ôl ffliwcan o drebl twenti. Roedd 'na fri ar y tîm darts ers talwm, medda Dad. Wedyn mi ddaeth Wetherspoons, a Ffêsbwc a Tinder. Roedd gan hogia'r pentra betha gwell i'w gwneud wedyn ar nos Fercher. Yn enwedig pan oedd bachu genod wedi mynd cyn hawsed â sweipio sgrin ffôn. Yr hoelen olaf yn arch y tîm oedd Cwil Minibys yn cael trawiad. Dechreuodd fyta brocoli a gwrthod dreifio cyn belled â Blacpwl. Daeth i ben deithio pybs. Cofio gofyn:

"Gwilym ydi'i enw fo, de, Dad?"

"Wel, ia, ti'n gwbod yn iawn mai Gwilym ydi'i enw fo."

"Pam maen nhw'n ei alw fo'n 'Cwil' ta?"

Dad yn sbio fel taswn i angan lobotomi.

"Byr am Gwilym, de? Cwil."

"Ond dydi o ddim, nac'di?"

"Be?"

"Sa raid iddo fo fod yn 'Cwilym', bysa? Efo 'C'. I fod yn Cwil. Gwil sy'n fyr am Gwilym."

Mi gollodd Dad fynadd wedyn. Dyfnder y drafodaeth yn ormod iddo fo. Fatha taswn i wedi gofyn pwy fedyddiodd Darth Vader. Ond fasa fo'm callach pwy oedd hwnnw chwaith.

"Wn i'm, Duw. Gofyn iddo fo."

Ac maen nhw'n dweud nad oes gynnon ni, bobol ifanc, ddim sgwrs. A naddo, wnes i ddim gofyn i Cwil Minibys pam fod y 'G' ar ddechrau'i enw fo'n newid i 'C', dim ond ei dderbyn o fatha Bruce Wayne yn newid i Batman. Felly roedd petha, de? Wel, yn tŷ ni, eniwe. Rho'r gora i dy swnian. Wn i'm, Duw. Paid â holi petha gwirion. Felly roedd hi. Yn enwedig ar ôl i Mam fynd. Mi newidiodd popeth wedyn. Mwy na dim ond cyfnewid dwy lythyren.

Cuddio patshyn o damprwydd ar y wal mae'r bwrdd darts erbyn hyn. A dyna lle'r oeddan ninna, oddi tano fo, Arthur Twm (a drodd i fyny yn y diwedd er ei fod o wedi malu cachu na fedrai ddod am ei fod o wedi addo rhoi gwers ddryms i rywun a oedd wedi talu o flaen llaw bla bla) a Gibs ar y peintia, a finna ar ddiod te parti capal. Y getawe dreifar.

"Be' ti'n feddwl ydi o, yr Italian Job?" chwarddodd Gibs pan gynigiais i.

Y bantar arferol. Nad oedd yn fantar go iawn, o achos bod tynnu coes yn rhywbeth digon ffeind, dydi, yn y bôn? Yn dod gan Gibs, roedd o'n fwy o heclo. Bychanu rhywun yn yr hen ffordd dan din honno. Roedd mwynhau codi gwrychyn pobol yn rhan o'i gyfansoddiad o. Ond wrthododd o mo'r cynnig chwaith, dim ond gosod peint o Coke o fy mlaen i, a goriada'i gar i'w ganlyn o. Ia, siŵr Dduw. Gynno fo oedd y car gora 'fyd. Car pôsar i fatsio'r gitâr. Seat Ibiza Sport gwyn hefo blydi wing mirors coch. Dim ots bod insiwrans peth felly'n costio mwy na gwerth ceir y gweddill ohonan ni wedi'u berwi hefo'i gilydd, nac oedd? Achos mai Dadi oedd yn talu, de? Dyna'r pỳrcs o fod yn fab i berchennog cwmni adeiladu, hyd yn oed os mai twat fatha Graham Woodville-Jones oedd yn dad i chdi. Ond roedd o'n dwat hefo pres. Y math perycla. Eniwe, wnes i'm dadlau, naddo? Italian Job neu beidio, roedd hi'n dal yn drît cael dreifio'r ffasiwn gar.

Roedd y paent yn y bŵt ers wsos Steddfod. Sbre cans. Tortshys. Tunia a brwshys. Pan gododd o'r tarpolin i ddangos i ni, roedd hi fatha congol o B&Q.

"'Dan ni'n mynd i wneud hyn go iawn, lads," medda Arthur Twm, â llif oren y lamp tu allan i'r bỳs stop gyferbyn yn cynnau gwreichion yn ei lygaid o.

Mi faswn i'n lecio dweud bod yna leuad llawn. Creu naws. Mae dipyn o awyrgylch bob tro'n help wrth adrodd stori. Ond doedd yna'r un gwerth sôn amdano, dim ond ewin bawd, 'C' am Cwil. Twtsh. Fatha ias y tymhorau'n newid. Ond yn ddychryn o lân, fel asgwrn yn pigo trwy gnawd. Yn fy nghymell i swnio rêl fy nhaid a dweud:

"Lwcus bod 'na'm llawar o leuad, hogia. Mi fyddan ni'n anweledig mewn dillad tywyll."

A hynny, yn ei dro, yn cymell Gibs eto i fy ngwneud i'n destun sbort fel arfer:

"Byddan, heblaw am dy draed di yn y plimsols gwynion 'na'r pric. Ti'n edrach fatha ffurat!"

Roeddwn i'n dechra cael llond bol ar y sbeit a oedd wastad yn llechu o dan jôcs Gibs, a'r rheiny'n jôcs am fy mhen i. Gallai Arthur Twm fod cystal idiot â neb ar adegau, ond cawsai hwnnw fwy o lonydd na fi. Fi oedd ei ffŵl o, ei destun sbort. Roeddwn i'n ei dderbyn i gychwyn fel bantar rhwng mêts, ond yn ddiweddar sylweddolais fwyfwy nad chwerthin hefo fi roedd

Gibs, ond am fy mhen i, a chawn yr argraff ei fod o'n annog pobol eraill i wneud yr un fath. Gorfodais fy hun i chwerthin hefo Arthur Twm am ben fy sgidia fy hun er fy mod i'n ddistaw bach yn teimlo fel pwdu, ond fyddai hynny'n ddim ond esgus i Gibs dynnu arna i ymhellach hefo sylwadau fatha: Hei, be' sy', Mono? Llyncu mul fatha hogan eto. Na, rown i mo'r boddhad iddo.

A dyna pryd y gwelais i hi. Cat. Sgwydda main mewn denim, a'r nos yn duo'i grudd. Doedd hi'n ddim byd bron ond siliwét yn rhynnu yn sgrech y lamp a staeniai'r stryd.

"Doeddech chi erioed yn bwriadu mynd hebdda i, gobeithio?"

Yn y llais 'na. Melfed a chrygni a chlychau bach a phlu. Roedd awyr y nos yn ei gario'n llyfnach, yn gliriach nag unrhyw feicroffon. Codais fy llaw arni'n glogyrnaidd ac ysgwyd fy mhen fatha lembo, yn boenus o ymwybodol fy mod i'n debyg i ddol bren yn nwylo pypedwr oedd newydd snortio lein.

"Nag oedden, siŵr iawn," medda Arthur Twm, mêt pawb, a allai swyno neiniau a chariadon pobol yn yr un modd. "Ti jyst mewn pryd. A ma' 'na fenig sbâr i chdi'n fama a bob dim. Cofn i ti gael paent ar dy ddwylo," ychwanegodd, yn gwbwl ddiangen.

Roedd Gibs yn dal i ymbalfalu o dan y tarpolin. Wnaeth o ddim hyd yn oed codi'i ben i'w chyfarch.

ANJI

Cyrhaedda Angharad Kiely swyddfa'r *Herald* hefo poenau misglwyf, twll yn ei theits, a weiren bigog o gwmpas ei chalon.

Mae hi bron yn bedwar mis ers i Dyl dorri pob cysylltiad â hi, a hynny mor ddirybudd a digyfaddawd â chyllell yn cael ei phlannu rhwng ei hasennau ar stryd gefn. Mae hi wedi sgwennu digon yn ystod ei gyrfa fel newyddiadurwraig am ymosodiadau o'r fath i wybod sut gall yr artaith a ddaw yn sgil un trywaniad sydyn bara oes. Ac yn union fel pe bai hithau wedi cael ei thrywanu, y sioc a ddaeth gynta, y sylweddoliad sydyn cyn i'r boen ffrwydro drwyddi, a setlo wedyn, er mwyn iddi ddysgu byw hefo fo, fel y fannodd.

Mi gymrodd y 'setlo' wythnosau. Nes iddi ddeffro un bore, a doedd y lwmp yn ei gwddw ddim yna. Roedd y cnonyn yn ei pherfedd wedi laru cnoi. Ambell wayw geith hi rŵan, fel asgwrn a dorrwyd yn edliw wrth asio'n ôl.

"Fedra i'm credu, Mari. Roedden ni mor agos, ti'n gwbod? A rŵan, jyst fy nhaflu i o'r neilltu fatha hen hosan ... a hynny ar ôl *blynyddoedd* ..."

Mae hi'n ei chlywed ei hun yn rhoi pwyslais ar y gair olaf fel actores Americanaidd mewn rom-com yn cyrraedd cresiendo. Ond nid comedi ydi hwn, ond bywyd go iawn, creulon a di-ildio, lle mae'r crio'n hyll a thisiws gwlyb yn malu'n racs.

Mae gonestrwydd yn un o gryfderau'i ffrind, Marian (neu'n un o'i ffaeleddau, dibynnu sut mae rhywun yn edrych ar bethau. Onid oedd hi wedi rhybuddio Angharad pan ddechreuodd hi gyboli hefo Dyl y Dyn Priod na fyddai hi byth yn flaenoriaeth ganddo?). Ond pe bai Marian yn bod yn onest y munud hwnnw wrth iddi glywed am y ffordd y bu i Dyl drin Angharad drwy roi'r gorau'n ddirybudd i'w decstio boreol a'i alwadau ffôn dyddiol drwy gydol eu haffêr wyth mlynedd, fyddai hithau ddim wedi credu chwaith ei fod o'n foi mor galon-galed.

"Ella bod yna rywbeth mawr yn bod, Anj. Rhyw greisus teuluol neu rwbath ...?"

"Blydi hel, Mari. Chdi, o bawb, yn gwneud esgusodion drosto fo!"

"Ond rhaid i mi gytuno hefo chdi bod y cwbwl yn dipyn o ddirgelwch. Fel ti wastad wedi dweud wrtha i, mi oeddet ti yno iddo fo bob amser. Yn gefn. Yn ysgwydd ..."

"Yn goesa ar led?"

"Paid, Anj! Dwi, o bawb, hyd yn oed wedi gorfod cyfadda'i bod hi'n amlwg dy fod yn golygu mwy na hynny iddo fo. A'r holl flynyddoedd 'ma, de. Nid rhyw un noson feddw o rwbath oeddech chi. Ac nid deunaw oed ydach chi. Na, mae mwy iddi na hyn. Mi fydd yn rhaid i ti ddal arni am dipyn, aros nes daw o i gysylltiad.

Dwi'n cymryd nad wyt ti byth i fod i'w decstio na'i ffonio fo os nad ydi o'n gwneud yn gynta?"

"Nac'dw."

"Clasic."

"Rôn i'n meddwl dy fod ti'n cadw'i gefn o."

"Dwi'n trio. Hei, ella bod ei wraig o wedi cael rhyw gliwia bod o'n hel 'i din ac wedi cadw'i ffôn o? Neu bod ei ffôn o ar goll ..."

"Neu bod siarc wedi'i lyncu o, neu êliyns wedi'i gipio fo. Dwi hyd yn oed wedi ystyried y ffaith ei fod o wedi marw go iawn. Tsiecio'r obits yn y *Daily Post* ers dyddia. Dydi o'm hyd yn oed ar Ffêsbwc ddim mwy."

"God, Anj, ti'n siriys?"

"Ydw. Hollol o ddifri, cofia." Ac mae chwythiadau-neidr y peiriant *cappuccino* tu ôl i'r cownter yn meddalu rhywfaint ar ymylon ei phryder wrth i Marian baratoi paneidiau i'w chwsmeriaid nesaf.

Mae Angharad yn gwastraffu munudau olaf ei hawr ginio'n chwalu'r ffroth oddi ar ei choffi hefo blaen ei llwy. Daw Marian yn ei hôl hefo browni siocled mewn cwd papur iddi, rhag iddi 'nychu a marw' o ddiffyg maeth a gofal.

"Tasat ti ddim ond yn pigo'r briwsion tra rwyt ti o flaen dy gyfrifiadur pnawn 'ma. Dydi'r 'byw-ar-wellt-dy-wely *look*' ddim yn secsi."

"Dwi byth isio secs eto."

"Gwranda, Anj. Os ydi o'n meddwl cyn lleied ohonot ti i dy gôstio di fel hyn ..."

"Www, *down with the kids*, Maz!"

"Wel, dyna maen nhw'n ei alw fo'r dyddiau hyn, de? Er bod cachwrs yn ei wneud o ers cyn co'." Ac wrth iddi sylweddoli'i bod hi'n rhy fuan i ddechrau ail-labelu Dyl y Dyn Priod yn Dyl y Bastad Diegwyddor, defnyddia Marian ddogn o'i hiwmor du arferol:

"Asu, beryg bod o wedi diflannu fatha'r Lord Lucan hwnnw ers talwm. Wedi saethu Siwsan y Siwpyrmodel a'i gluo hi!"

Fel rhan o'r ymdrech i godi gwên pan fyddai Angharad â'i phen yn ei phlu am y milfed tro wedi iddo orfod canslo trefniadau ar hap, bedyddiodd Marian wraig Dyl y Dyn Priod yn 'Siwpyrmodel', yn bennaf oherwydd ei gorwariant amlwg ar ddillad drud. Trio bod yn sarcastig oedd ei bwriad bryd hynny, yn bennaf oherwydd fod gan Siwsan y dillad anhygoel na fedrai'r un ohonyn nhw ill dwy eu fforddio, ond ni lwyddodd y coegni rhywsut: swniai'n ormod o gompliment i fod yn ddoniol go iawn, yn enwedig ar yr adegau pan aethai Dyl â'i wraig ar wyliau yn yr haul i lefydd rhy amheus o ramantus. Byddai Angharad yn ei harteithio'i hun gyda'r darluniau yn ei dychymyg o Siwsan yn sgleinio fatha concyr yn ei meicro-bicini.

Ond dydi Dyl ddim wedi diflannu fel Lord Lucan. Nac wedi cael ei lyncu, y fo na'i ffôn, gan unrhyw fath o siarc. Ymhen tair wythnos ers yr Anwybyddu Mawr, tra daliai'i chnonyn hithau i aflonyddu'i pherfedd, fe'i gwelodd hi o, o bell, ond yn ddigon agos i weld bod y blydi 'Siwpyrmodel' ei hun wrth ei ochr o. A doedd yna ddim byd doniol ar ei chyfyl hi. Roedd hi'n wraig dal, ffasiynol, ddeniadol yn lipstic pinc i gyd. Roedden nhw'n chwerthinog, wyneb yn wyneb, yn amlwg yn rhannu jôc breifat wrth adael y siop gwerthu ceginau. Rhai uffernol o ddrud. Cyn ei hedio hi drws nesa i'r lle gwerthu hot-tybs.

Fyddai Angharad ddim wedi bod ym Mharc Busnes Bryn Iolyn o gwbwl oni bai'i bod hi'n gwneud eitem i'r papur ar berchennog y siop tybiau poethion, rhyw gyn-filwr o Sais a oedd yn ceisio'i anwylo'i hun i'r trigolion lleol drwy neidio o awyrennau i godi pres at groesawu'r Steddfod. Byddai'n rhaid iddi aildrefnu'i hymweliad, rŵan bod Dyl a'i wraig yno. Meddyliodd rhan ohoni: bygro hyn, dwi'n mynd i mewn. Ond rhywsut, ei hangel gwarcheidiol a orfu drwy sibrwd yn ei chlust i gadw draw, a chadw'i hunan-barch yn ogystal.

Yr hyn sy'n peri iddi ailchwarae'r olygfa erchyll honno yn ei meddwl fel hen dâp VCR herciog ydi'i bod hi wedi sylwi ar gar Dyl o'i blaen ar ei ffordd i'r gwaith fore heddiw. Dydi hynny, a'r ffaith bod rhyw lembo wedi sodro'i horwth o foto-beic yn ei lle parcio arferol hi, ddim wedi lleddfu dim ar ei hormonau misol. Gyda ffrwydrad o dymer, mae'n gadael i ddrws ffrynt yr adeilad hynafol – sydd bellach yn gartref i ddau neu dri o fusnesau lleol, yn ogystal â swyddfa'r *Eifionydd and Arvon Herald* – glepian yn biwis ar ei hôl.

"Pryd ydan ni'n mynd i wneud safiad a sillafu 'Arfon' fel y dyla fo fod, Eic?" fyddai'i byrdwn wythnosol bron wrth Eic Morus, y golygydd, pan gychwynnodd yn ei swydd ddeng mlynedd yn ôl bellach. A'r un fyddai ymateb Eic amhosib-bron-i'w-wylltio â'i lygaid Santa Clos:

"Rhai petha i fod i gael eu gadael fel maen nhw, sti, fel cerflun Lloyd George ar y Maes. Ac eniwe, ma'r llythyren 'v' i'w chael mewn Cymraeg Canol. Paid â deud nad wyt ti wedi darllen *Pedeir Keinc y Mabinogi* o glawr i glawr, Anj!"

Mi fyddai yna banad yn ymddangos o'i blaen hi wedyn, tî bag mewn cwpan a deijestif. Rêl Eic. Wedi cael oes o fwytho pennau cŵn brathog. Ond dydi te a deijestif ddim yn mynd i dawelu popeth sy'n ei chorddi heddiw.

"Mae 'na ryw nob wedi gadael moto-beic yn fy lle parcio i."

Try i gyfeiriad Eic hefo'i hwyneb tin mwya dieflig, a chanfod nad y fo sy'n sefyll yno, ond yn hytrach chwe throedfedd o ledr du, a llygaid duach sy'n amlwg yn chwerthin am ei phen. Estynna'i law.

"Y nob," medda fo. "Os nad ydi hynny'n amlwg."

"Perffaith amlwg," medda hithau. Does arni ddim awydd bantro. "Nid pawb sy'n dod yma wedi gwisgo fatha Mad Max a meddwl y cân nhw hogio llefydd parcio preifat pobol. A'u gwneud nhw'n hwyr i'w gwaith. Dwi wedi gorfod cerddad yr holl ffordd o faes parcio'r llyfrgell yn y sodla 'ma."

"Wow!" medda Mad Max. "No swet. Chil owt, Lois, dwi'n mynd o 'ma rŵan!"

"Lois? Nid Lois ..."

"Lois Lane, de?"

Mae o eisoes wedi troi ar ei sawdl a diflannu i lawr y grisiau tra'i bod hithau'n trio ymatal rhag tynnu'i sodlau uchel a'u lluchio ar ei ôl. Erbyn iddi gyrraedd y gornel-gwneud-panad, mae Santa Clos eisoes wedi rhoi tî bag yn ei chwpan. Wrth iddi sefyll yno yn nhraed ei sana'n disgwyl i'r tegell ferwi, gallai daeru bod Mad Max wedi mentro wincio arni. Y llabwst powld.

Llowcia'r te, a llosgi'i thafod.

MONO

"Shit. Cops!"

Rhaid i mi gyfadda fy mod i wedi cael ias o bleser yn gweld Gibs yn panicio. Sioc drydan o ias, ond un gynnes, braf. Llifo drosta i. Bron iawn fatha piso yn dy drowsus. Rhyw gysur hyll; rwbath na fedri di mo'i dynnu'n ôl, felly waeth i ti'i fwynhau o ddim.

Roedd 'na ddrama'n digwydd o 'nghwmpas i, ond er fy mod i'n chwarae un o'r rhannau allweddol teimlwn fy mod i allan ar y cyrion ar yr un pryd, fel taswn i'n gwylio ffilm 3D ar miwt hefo sbectol well nag un pawb arall: golau glas a dim swn, a blewyn o baent yn wylo o goes yr 'R' anorffenedig yn COFIWCH DRYWER.

"Oh, bloody hell, it's the extremists. And there we were expecting your common or garden vandals. Seems like we've got a better class of criminal tonight. It'll have to be Siarad Cymraeg All the Way now then, Col."

Dau chwerthiniad. Dwy lythyren ar goll. A dau gop-car â'u drysau'n gwrthod agor o'r tu mewn yn groeso diamod i gyd. Mi gafodd Gibs ac Arthur Twm fynd yn y car cynta, a Gibs – y mwya coci ohonan ni i gyd – oedd yn edrych fel tasa fo wedi gwneud ei lond o. Roedd Arthur yn cŵl, bron yn ddidaro, yn plygu yn ei hanner yn ufudd wrth fynd i'r car, fel llathen o ddŵr pwmp yn cael ei ddargyfeirio. Er ei bod hi'n nos, roedd ei wyneb o'n glaerwyn yn y golau llachar, yn gliriach na chlir, ond fedrwn i mo'i ddarllen o. Syllai'n syth o'i flaen, yn gwbwl ddifynegiant, a'r noson wedi marw yn ei lygaid o. Arthur Twm, mêt pawb, cystal idiot â neb.

Os oedd Gibs yn pisd off mai fi gafodd fynd yn yr un car â Cat, chymrodd o ddim arno bod ots ganddo. Poeni gormod amdano fo'i hun, garantîd. Ffwcia'r ddelfryd, egwyddorion, hunaniaeth cenedl. Roedd Gibs bob amser yn gwneud yr hyn a oedd yn mynd i'w siwtio fo. Cachwr oedd o yn y bôn, nid ymgyrchydd â'i liwiau ar y mast, ond roedd o'n lecio'r ddelwedd. Fo oedd yr ucha'i gloch pan nad oedd angen ticio'r bocs 'hunanaberth yn angenrheidiol'. Mi fyddai ar flaen y gad yn rali'r Sadwrn ganlynol â baner Owain Glyndŵr wedi'i lapio am ei sgwydda. Dwi'n cofio meddwl: Efallai y byddan ni i gyd yn y jêl erbyn hynny, ac yn gorfod canslo'n gìg gyda'r nos. Tybed a oedd hynny wedi croesi meddwl Cat hefyd? Roedd hi wedi troi'i phen oddi wrtha i, ac yn syllu ar ei chysgod ei hun yn y ffenest ddu. Roedd ei phersawr fatha diwedd yr haf, yn aeddfed a thrist ond yn gynnes o hyd. Gadawodd i mi afael yn ei llaw, gan gymryd arni ar yr un pryd nad oeddwn i ddim yn bod. Ond euogrwydd oedd hynny, siŵr o fod. Rhyw hen deyrngarwch gwirion tuag at Gibs. Roedd hi'n haeddu cymaint gwell na'r prat hwnnw. Yn haeddu'r cyfle i agor ei llygaid a gweld bod cariad llwyr a diamod yn nes ati nag y meddyliai'r eiliad hon. Doedd ganddi mo'r syniad lleiaf sut gariad, sut garu, y gallai hwnnw fod. Roedd hi wedi treulio'i hamser yng nghwmni gormod o bennau bach fatha Gibs a Ned Singh. Er bod y ddau hynny'n elynion pennaf erbyn hyn, roedden nhw'n debycach i'w gilydd nag yr oedd y naill na'r llall yn fodlon ei gyfaddef. Dau bôsar gorhyderus a oedd yn cael y genod i gyd ac yn eu trin nhw fel baw. A'r ddau'n beryglus o gystadleuol. Yr unig reswm aeth Gibs ar ôl Cat oedd am ei bod hi'n gyn-gariad i Ned.

Roedd hel meddyliau fel hyn am y ffordd yr arferai Gibs drin Cat wastad yn fy nghorddi. Doeddwn i ddim yn ymwybodol fy mod i'n gwasgu'i bysedd hi'n dynnach, dynnach wrth geisio rheoli fy anadlu. Tynnodd ei llaw'n sydyn o afael f'un i, ond y ffaith ei bod hi'n dal heb edrych arna i oedd yn brifo; rhyw eiliad o boen annisgwyl oedd o, yn ddim byd mewn gwirionedd ac eto'n wayw i'r byw.

Fel pigo pen fy mawd hefo pìn.

Roedd hi'n haeddu gwell na boi fel Gibs. Dagrau pethau oedd nad oedd hi ddim yn ei gweld hi felly. Stynar fel hi, yn berwi o dalent. Mi fasa hi'n medru bachu unrhyw un. Ond yn hytrach, mae hi wedi rwdlian erioed hefo lwsars fatha Gibs. Sboilt brat oedd yn chwarae gitâr fatha hogyn ysgol. Hithau'n sbio'n addolgar arno, yn cymryd ei shit o i gyd, yn dibynnu ar y briwsion roedd o'n eu lluchio iddi er mwyn teimlo'n hapus hefo hi'i hun. Roedd yr holl beth yn fy nghorddi. Fedra fo byth dynnu'r sglein oddi arni. Fedra'r un ohonon ni wneud hynny. Cat Llywarch *oedd* Doctor Coch.

"Enw anghyffredin ar fand," medda Wil Roj o gylchgrawn *RocaRug* pan ddaethon ni at ein gilydd ar y cychwyn. Fel tasa 'na ddim enwau wiyrd ar fandiau pawb arall. Doedd y rhan fwyaf ohonyn nhw ddim yn gwneud sod-ôl o synnwyr. Enwau oedden nhw i wneud gwaith siarad i newyddiadurwyr cogio fatha Wil. Rwbath y basan nhw'n medru hoelio cyfweliad arno am nad oedden nhw'n dallt digon am sgwennu lyrics. Bod mewn band go iawn ydi byw ar dy nerfau a thiwbiau o Bringls, a gobeithio cei di dy dalu am dy gìg ddwytha er mwyn medru rhoi dîsl yn y tanc i allu cyrraedd y nesa. A dyna'r rheswm nad oedd Gibs yn cweit ffitio'r bil yn hynny o beth. Wyddai o erioed be' oedd gwir ystyr aberth, ond Iesu, roedd o'n lecio cael sylw.

Ond does dim ots am enwau pobol eraill; mae enw'n band ni'n golygu rwbath sbesial i mi oherwydd mai syniad Cat oedd o. Hi ddaru'n bedyddio ni, yn ôl yn y dechra, cyn dyddiau Gibs. Ned oedd hefo ni fel gitarydd ar y cychwyn nes aeth o i ffwrdd i'r brifysgol yn Norwich. Pen draw'r byd. Rhy bell i ddod adra ar gyfer gigs. Ac ar gyfer Cat. Roedd y ddau'n dipyn o eitem bryd hynny. Y cwpwl euraid go iawn, hi hefo'i gwallt melyn golau ac yntau hefo'i gitâr Sunburst a'i groen lliw mêl.

"Doctor Coch? Be'? Fatha Doctor Who, 'lly?" medda Arthur Twm. Ella bod o'n uffar o ddrymar, ond ddangosodd o erioed lawer iawn o ddychymyg. Er gwaetha hynny, mae o'n un da am gofio ffeithiau.

Manylion bach dibwys, hyd yn oed. Dim ond unwaith mae angen dweud rwbath wrtho fo.

"Pysgodyn ydi o. Un bychan, bach. Ond penderfynol o oroesi. Fatha ni. A'i fol o'n goch. Lliw Cymru, de?" Cat yn gwenu'i gwên, yn gwybod y basan ni wedi'n galw'n hunain yn Doctor Who hefyd pe bai hi wedi dymuno hynny.

"Da 'ŵan," medda Ned, er nad oedd uffar o ots gynno fo be' oedd ein henw ni achos doedd o ddim yn bwriadu bod o gwmpas yn hir, nac oedd?

"Bril," medda finna, o achos fy mod i'n ei feddwl o. O achos fy mod i'n bwriadu bod o gwmpas am byth bythoedd amen pe bai rhaid, pe golygai hynny y gallwn i chwarae mewn band wrth ochr Cat. Bril, Cat, medda'r darn bach o 'nghalon i fyddai wastad yn perthyn iddi hi. Wastad yn gobeithio y byddai hi'n edrych arna i rhyw ddiwrnod fel roedd hi'n arfer edrych ar Ned. Y darn bach o 'nghalon i roddodd lam fel tant gitâr yn torri y diwrnod y cyhoeddodd Ned ei fod o wedi ennill digon o bwyntiau i fynd i Norwich. Ond ar Gibs yr edrychodd hi wedyn, nid arna i.

"Apparently, this lot are a band," medda'r dysgwr o blisman a anghofiodd ei wersi Cymraeg i gyd gydag ochenaid o ryddhad unwaith y cyrhaeddon ni'r stesion. "Doctor Coch, this one says."

Roedd hyn gan amneidio i gyfeiriad Cat. Doeddwn i'n lecio dim ar y ffordd roedd o'n ei llygadu hi. Sglyfath.

"Doctor Coch?" medda'r sarjiant tu ôl i'r persbecs, â'i

aeliau'n codi wrth ein hastudio dan ei sbectol darllen. "Be'? Fatha Doctor Who 'lly?"

Er gwaetha popeth mi driais fy ngorau i saethu gwên gam i gyfeiriad Arthur Twm, ond fedrwn i ddim dal ei lygad o.

Roedd hwnnw yn ei fyd bach ei hun, ddim yn sbio ar neb na dim.

DCI LIAM O'SHEA

Does gan hogia'r ceir ddim syniad pwy maen nhw wedi eu halio i mewn heno. Mi fasa'r cyfryngau'n cael ffîld dê. Band indi roc Cymraeg wedi cael eu harestio am blastro 'Cofiwch Dryweryn' (wel, namyn y ddwy lythyren ola) ar wal tŷ gwair Elis Wern Isa', a hynny wythnos union cyn y rali fawr dros annibyniaeth yng Nghaernarfon. Nais won. Ôn gôl, lads. Cic arall ym môls perthynas yr heddlu a'r cenedlaetholwyr (fatha fo'i hun, ond bod fiw iddo wneud ffŷs am y peth). Dydi neb ohonyn nhw yn y ffôrs yn cael eu hannog i ddangos eu lliwiau gwleidyddol, wrth gwrs. Ond mae gan bawb hawl i wisgo'i genhinen yn ei galon. Ac mae bod yn dad i arddegwyr yn golygu bod gan DCI Liam O'Shea fwy o fŷs ar bỳls y sîn roc Gymraeg na sawl un o'i gyd-weithwyr.

Mae'i genod o wedi mopio hefo Doctor Coch, yn enwedig hefo Catrin Llywarch, y prif leisydd. Yn edrych arni fel rhyw fath o rôl model, yn ei hefelychu'n ddyddiol drwy wisgo rhesi o freichledau hipi mwclis-a-lledr hefo'u gwisg ysgol. Mae hynny'n cymell eu prifathrawes i anfon llythyrau adra ato fo, oherwydd bod y ddwy'n mynnu rhoi strîcs pinc yn eu gwalltiau'n ogystal. Maen nhw'n ei dynwared hi'n ddidrugaredd yn eu dwrdio nhw yn ei Chymraeg chwithig: Chi'n disapointio fi, genod. Chi ddim hefo parch i iwnifform ni, a tad chi'n Chief Inspector hefo'r poliiiis! Mae eu lleisiau nhw'n codi'n wich bob amser ar y sillaf olaf, ac yntau'n teimlo'n euog am ei fod o'n gelan wrth wrando arnyn nhw. Mae ganddo'r edmygedd mwyaf tuag at bawb sy'n dysgu Cymraeg, gan gynnwys y wiwer sbectolog hon, ond yn yr achos yma does ganddo'n anffodus mo'r un edmygedd at ei gweledigaeth. Yn debyg iawn i'r heddweision a ddaeth â'r bobol ifanc 'ma i fewn heno. Er ei bod hi'n defnyddio'r iaith ac yn cyfathrebu'n eitha derbyniol, mae yna rywbeth ar goll nad ydi hi wedi trafferthu i'w ystyried: y cefndir. Yr hen ias. Capel Celyn, cyflath, Bob Robaits Tai'r Felin. Ond efallai mai fo, Liam, sy'n gul a gorfeirniadol, er gwaetha'r ffaith ei fod o wedi magu dwy rebel hefo gwalltiau pinc sy'n amharchu rheolau'u hysgol. Wedi'r cyfan, faint o Gymry Cymraeg cynhenid sy'n meddwl bod cyflath yn rhywbeth tebyg i chwd, ac mai Bob Robaits ydi enw'r postman? Gwena'n gam wrtho'i hun wrth ystyried ei ragrith. Roedd ei daid o'i hun yn ddi-Gymraeg, ond Gwyddel oedd o, felly doedd hynny ddim cweit yn cyfri yn ei dyb o. Ti'n mynd yn hen fastad sinigaidd hyll rŵan, Liam O'Shea. Be' mae'r merched yn ei bregethu wrtho? Heb bobol sy'n fodlon dysgu'r iaith, mi fasa hi'n marw, Dad – maen nhw'n haeddu parch. Ond dydi hynny ddim yn eu hatal rhag dal i gymryd y pìs o'u prifathrawes chwaith.

Sôn am barch, roedd Liam yn y coleg hefo Parch,

tad Cat Llywarch (neu'r Parchedig Huw Llywarch MPhil, PhD i roi iddo'i deitl llawn. O mai god, Dad, siriys? Ma' hynna'n jyst MOR cŵl!). Roedden nhw'n ei alw fo'n Parch hyd yn oed cyn iddo fo basio i fynd i'r weinidogaeth. O achos nad oedd yna ddim amheuaeth ynglŷn â'i allu. Y boi'n jîniys. Tasa fo wedi ymuno â'r heddlu mi fasa'n Uwch Arolygydd erbyn hyn. Ac mi fasa fy mywyd innau'n llawer haws pe pai Parch yn fòs arna i, meddylia Liam yn synfyfyriol. Mae o'n hynaws, yn addfwyn, yn eangfrydig (na, erbyn meddwl, mi fasa Parch yn rhy sofft i fod yn gopar, er bod ganddo sgwydda fatha Jonah Lomu), ac mae'i galon o'n fwy na digon o seis i lenwi'i frest lydan. Tasa'r Fam Teresa wedi bod yn ddyn, mi fasa hi wedi bod yn union fatha Parch. Wel, ella nid yn union yr un fath. Hoffter Parch o'i beint fyddai'n eu gosod ar wahân. Fo oedd yr unig un ohonyn nhw ers talwm oedd yn medru yfed Snakebite heb chwydu'n biws. Heddiw mae o'n llais i'r difreintiedig yn ei gymuned leol, yn rhedeg marathons i godi arian at achosion da ac yn ddigon mawrfrydig i gefnogi Newport County. O, ac afraid dweud, mae o'n genedlaetholwr i'r carn. Roedd ei dad o, a thad Liam, ac Elis Wern Isa' ar Bont Trefechan hefo'i gilydd yn '63. Dim ond Elis sydd ar ôl bellach, yn dynn ar ei bedwar ugain erbyn hyn ac yn gwella'n rhyfeddol, yn ôl pob sôn, wedi iddo gael clun newydd.

Un ffôncol gymrodd hi.

"Be', heno 'ma? Ar fy nhŷ gwair i? Hogan Huw? Wel, ar f'enaid i! A'r '-yn' ar goll, ddudist ti?" Chwerthiniad baco, ei frest o'n canu fel eithin ar goelcerth. "Heblaw am y glun 'ma, mi faswn i wedi mynd i lawr yna i'w gorffan hi iddyn nhw."

Risýlt. Ymhen deng munud, mi ffoniodd Mr Elis Edwards, Y Wern Isaf, i'r stesion i gadarnhau'i fod o wedi rhoi caniatâd i'r bobol ifanc dan sylw beintio 'Cofiwch Dryweryn' ar wal yr hen dŷ gwair oedd yn gyfochrog â'r hen lôn bost. Gobeithio'n wir nad oedd hynny'n broblem, gan nad oes rhyw lawer o drafnidiaeth yn mynd y ffordd honno erbyn hyn ers adeiladu'r ffordd osgoi newydd. Dim ond bechod, de, na chawson nhw ddim cyfle i orffen peintio. Anodd gweld, mae'n debyg, gan eu bod wedi mynd yno'n hwyr gyda'r nos. O, a nhwtha wedi cael eu styrbio'n ddiangen hefyd, wrth gwrs ... Hyn i gyd i gyfeiliant dogn go helaeth o dagu hen ddyn â'i frest yn gaeth.

Roedd Elis yn hen wariar. Gwyddai Liam y medrai ddibynnu arno heno. Efallai nad ydi'i goesau'n ei gario cystal erbyn hyn, ond mae'r tân yn ei fol o hyd. A diolch am hynny. O achos na fasa Erin ac Efa byth yn maddau i'w tad pe baen nhw'n darganfod rhyw dro iddo fynd y ffordd arall heibio a gadael i holl aelodau Doctor Coch wynebu dirwyon, neu waeth, yn enw annibyniaeth y genedl. Gall ddychmygu'r sgwrs:

» Pam maen nhw wedi canslo gìg Doctor Coch ar noson y rali ddydd Sadwrn, Dad?
» O, am bod eich tad wedi gadael iddyn nhw bydru yn jêl am weithredu dros Gymru.

Na, mi fasa hynny'n ddiawl o bad mŵf, DCI O'Shea. Mae ganddo fwy o ofn pechu'r ddwy yna nag sydd ganddo o dynnu blewyn o drwyn y Siwpyr ei hun.

Yn hytrach, mi geith Liam O'Shea fod yn arwr y tro hwn. Mi all ddweud ei bod hi'n lwcus i Doctor Coch ei fod o'n digwydd bod o gwmpas y stesion i achub eu tinau. Dim ond rhyw awran o gachu brics mewn stafelloedd ar wahân gafon nhw, cyn cael eu rhyddhau yn sgil datganiad yr hen Elis. Ond erys rhywbeth a ddywedodd hwnnw ym meddwl Liam, a dechrau cnoi. *Dim llawer o drafnidiaeth yn mynd y ffordd honno erbyn hyn ers adeiladu'r ffordd osgoi newydd.* Nac oes. Yn union. Mae dargyfeirio'r lôn wedi gwneud caeau isaf Elis yn fan cymharol ddiarffordd rŵan. Ychydig iawn o geir sy'n debyg o 'ddigwydd pasio' y dyddiau hyn. Yn enwedig ceir yr heddlu. Oni bai bod rhywun yn eu rhagrybuddio, wrth gwrs. Felly a oedd rhywun wedi riportio Cat a'r hogia'n fwriadol? Rhywun a oedd yn ymwybodol o'u bwriad i weithredu heno 'ma? Ynteu ai ateb hollol syml sydd yna, sef bod rhyw ddinesydd cyfrifol wedi dreifio heibio ar hap, gweld goleuadau tortshys a phwyso deirgwaith am ei nain?

Mae blynyddoedd yn y ffôrs yn gwneud copar profiadol yn amheus o bopeth. Gan gynnwys neiniau. Yn troi chwilfrydedd naturiol yn gnocell coed o rywbeth sy'n pigo'r ymennydd nes daw goleuni o rywle. A fedar Liam ddim maddau i'w reddf. Mae'n cymryd dau funud yn llythrennol i ddarganfod mai fo sy'n iawn. Galwad ddaeth i mewn heno gan berson dienw. Dim ond o ran ymyrraeth, dim ond rhag ofn y bydd y 'dim byd' 'ma'n troi'n 'rhywbeth' wedi'r cyfan, rhed y rhif a ffoniodd i riportio'r digwyddiad drwy'r cyfrifiadur. Rhif mobeil ydi o, wedi'i gofrestru i rywun o'r enw Nadhir Singh. Enw randym. Dim ond boi randym felly'n digwydd gweld golau diarth wrth basio'r Wern Isa'. Ddim yn gyfforddus yn rhoi'i enw, ond yn meddwl ei fod o'n gwneud y peth iawn. Dyna'r eglurhad mwyaf rhesymol. Y mwyaf tebygol. Doedd o'n ddim byd personol. Serch hynny, mae Liam yn nodi'r manylion. Chwilfrydedd. Arferiad plisman. Y ffaith nad ydi rhesymol a thebygol ddim bob amser yn gyfystyr â realiti.

Felly mae'n rhoi'r enw a'r rhif yn ei lyfr bach du.

Jyst rhag ofn.

ANJI

"Ond chdi sy wedi blocio fy rhif i, Anj!" Mae o'n daer. Yn edrych yn ddryslyd.

"Ti'n siriys?" Mae hi'n edrych i fyw ei lygaid o, yn clywed ei lais o, am y tro cyntaf ers wythnosau. "Faswn i byth yn gwneud y fath beth."

"Wel, na fasat, wn i. Ond …"

"Ond be', Dyl? Faswn i ddim yn breuddwydio blocio dy rif di. Byth bythoedd. Nefar. Mi fasa'n wahanol tasan ni wedi ffraeo. Ond chawson ni ddim un gair croes cyn i ti ddiflannu oddi ar wyneb y ddaear!"

Maen nhw'n sefyll ar y palmant o flaen peiriant arian parod Santander. Wrth i'w llais godi, sylweddola Angharad ei bod hi'n amlwg i unrhyw un sy'n pasio eu bod nhw'n edrych fel dau gariad ar fin cael ffrae. Mae Dylan yn hopian yn nerfus o un droed i'r llall; dyna'i ddawns-gafr-ar-drana arferol byth oddi ar pan ddechreuodd eu perthynas am fod arno ofn trwy'i din cael ei weld hefo hi. Nid am y tro cynta, mae'i nerfusrwydd o'n deffro'r cnonyn ym mhwll ei stumog hi, hwnnw nad ydi o byth cweit yn cysgu go iawn.

"Mi oedd pob galwad, bob tecst, yn diflannu i ryw dwll du." Mae o'n edrych wedi'i glwyfo, yn gwneud llgada ci bach wedi cael cic, ond mae hi'n benderfynol o ddal arno.

"Ôn i'n meddwl dy fod ti wedi cael damwain. Yn sownd wrth fentiletor yn rwla. Neu waeth. Mi lasat fod wedi marw am hynny wyddwn i." Saetha'i hergyd olaf drwy wefusau hanner caeedig. "Nes i mi dy weld di'n mynd i ddewis cegin newydd hefo dy annwyl wraig!"

Mae 'na hen foi mewn crys golff a chap stabal yn ciwio tu ôl iddyn nhw, ac wedi bod yn trio hoelio'u sylw nhw ers meitin trwy ddal ei gardyn Cashpoint uwch ei ben fatha cleddyf Damocles; erbyn hyn mae o wedi dechrau gwneud yr un ddawns iâr â Dylan.

"Fedran ni ddim siarad yn fama, Anj. Tyrd i ista i'r car am funud."

Mae o'n tsiansio rŵan, tybia hithau, nes iddi sylwi ei fod o wedi parcio tu ôl i sgip rhwng drws cefn y lle cebáb a rhes o finiau ailgylchu. Sylwa fod cuddio'i gar fatha criminal wedi mynd yn ail natur iddo bellach. Fel petai o newydd ddarllen ei meddwl, mae o'n datgan yn ddigon piwis:

"Nunlla i barcio blydi berfa yn y stryd 'ma heddiw."

Mae o'n tynnu'r cysgod haul uwch ben sedd y teithiwr i lawr er mwyn cuddio'i hwyneb, ond yn hytrach na'i hamddiffyn mae o'n gwneud iddi deimlo fel lleidr. Yn sgil y weithred honno, mae sbectol haul ddrud yn disgyn ar ei glin. Sbectol merch, hefo logo dwy lythyren 'C' aur gefn wrth gefn sydd ymhleth fel bysedd cariadon.

"Sori." Cipio'r sbectol oddi arni heb eglurhad a'i

lluchio i'r sedd gefn. Lle buon nhwtha sawl tro â mwy na dim ond eu bysedd ymhleth. Mae'r eironi'n ei dallu. Mae'r cnonyn bol yn chwipio'i gynffon am yr eildro ac mae'n sylwi nad yr un ffôn sydd gan Dylan.

"Ti wedi newid dy ffôn." Swnia'i geiriau'n debycach i gyhuddiad.

"Chesh i'm tsians i ddeud wrthat ti, naddo, a chditha wedi fy mlocio i!"

"Wnes i mo dy flocio di, am y milfed tro. Eniwe, dyma'r tro cynta i mi glywed dy fod ti angan newid dy ffôn."

Cyhuddiad arall, ac mae hi'n ymwybodol bod tôn ei llais yn gwneud iddi ymddangos yn debycach i hwch nag i ddelwedd y flondan anturus y bu hi'n gweithio mor galed i'w chyfleu iddo o'r cychwyn cynta. Gŵyr na phia hi mo Dylan. Derbynia bellach na fydd pia hi mohono fo byth. Gan Siwsan y Siwpyrmodel yn ei sbectol haul Chanel mae'r hawliau arno i gyd. Ond eto, teimla Angharad ryw berchnogaeth ryfedd arno ar yr un pryd. Mae hi'n cysgu hefo fo ers blynyddoedd. Wedi rhannu cyfrinachau. Ymddiried ynddo. Felly oni ddylai hi gael gwybod y pethau bychain bob dydd fel pryd mae o'n bwriadu newid ei ffôn? Ydi hynny'n rhywbeth mor afresymol, yng nghyd-destun popeth?

Yn ddisymwth, mae'i llygaid hi'n llenwi, ac mae hi'n gwylltio hefo hi'i hun am fod mor galon-feddal. Am fod gymaint mewn cariad. Bron yn ddiarwybod, mae'n rhoi'i llaw ar ei stumog. A rho ditha'r gorau i gorddi 'mherfedd i'r cnonyn uffar. Dwi wedi cael llonydd gen ti ers wythnosau tan rŵan.

Try'i phen draw i sbio ar y sgip. Er mwyn cadw'i hurddas. Er mwyn rhoi cyfle i'r niwl glirio. Damwain a hap fu iddyn nhw daro ar ei gilydd heddiw. Wel, bron iawn. Mae ganddi syniad go lew am ei symudiadau a hithau'n ei adnabod ers cyhyd. Roedd yna bosibilrwydd cryf y gallai hi'i gyfarfod o heddiw yn y fan hyn ar adeg benodol. Ond dydi hi ddim yn barod i gyfaddef, hyd yn oed wrthi hi'i hun, nad cyd-ddigwyddiad oedd y cyfarfyddiad hwn.

"Os oes raid i ti gael gwybod y manylion, mi falodd sgrin fy ffôn i'n racs. Es i â fo i'r siop i holi am un newydd ac mi ddywedon nhw fy mod i'n barod am ypgred yn syth. Mi oedd gynnyn nhw un mewn stoc y diwrnod hwnnw. No brênar. A chyn i ti ddeud dim byd, mi rois i dy rif di i mewn yn syth."

"Be' ti'n feddwl, 'rhoi fy rhif i mewn'? Mi fasa wedi symud yn otomatig hefo dy gontacts di. Ôn i'n meddwl fy mod i yno dan enw Anti Jên."

Mae Anti Jên yn naw deg tri ac mewn cartref gofal ond roedd 'anghofio' dileu rhif ei ffôn adra hi wedi bod yn handi i Dyl fedru cuddio rhif Angharad o dan yr un enw.

"Mi oeddat ti. Ond mi farwodd Jên, do? Mi fasa wedi edrych yn crîpi."

"Marw? Pryd?"

"Y noson honno. Y diwrnod ges i'r ffôn."

"Wyt ti'n cymryd y pìs?"

Mae o'n gollwng ochenaid, ond nid un o gonsýrn ac edifeirwch. Na galar ar ôl Jên. Dechra mynd yn flin mae o. Mae hi'n adnabod yr arwyddion.

"Sbia." Deil ei ffôn o dan ei thrwyn. "Mae dy rif di yna, dan enw gwahanol."

"Audi Llandudno?"

"Be' ti'n ddisgwyl i mi'i roi? Angharad Kiely, ffyc bydi?"

Jôc ydi hi i fod. Nofia'r munudau gwerthfawr rhyngddynt heb na gair na chyffyrddiad, a thoddi'n ddim fel plu eira. Disgwylia Angharad am ei linell anfarwol arferol: Gwranda, fedra i'm aros … Ond yr hyn mae o'n ei ddweud ydi:

"Ffonia fi."

"Be'?"

"Ffonia fi rŵan. I brofi fy mod i'n deud y gwir."

Ac wrth iddi wneud hynny mae ffôn Dylan yn canu. Yn ufuddhau. Mae o'n edrych wedi dychryn am eiliad, ond nid Audi Llandudno ddaw i fyny ar y sgrin. Dydi o wir ddim yn deall. Mae o'n sbio eto ar y cyswllt newydd. Yn sylweddoli. Shit. Rhoddodd un rhif i mewn yn anghywir pan oedd o'n cofnodi'r manylion yn ei ffôn newydd. Edrycha Angharad arno. Ar ei anesmwythyd. Does dim amheuaeth o hynny. Mae o'n dweud y gwir. Yn cywiro'r gwall yn syth. Yn ysgwyd ei ben, wfftio at ei dwpdra, ei flerwch ei hun. Ond nid hynny sy'n bwysig bellach.

"Mi gest ti bedwar mis i ddod i chwilio amdana i, Dyl. A ti'n gwbod na faswn i byth yn dy anwybyddu di'n fwriadol. Efallai fy mod inna wedi bod ar fin marw tasat ti ddim ond yn gwybod. Ond roeddwn i'n cadw at y rheolau, doeddwn? Dim cysylltu hefo chdi ar boen fy mywyd."

"O, Anj. Mi faswn i wedi dod i chwilio, sti. Yn hwyr neu'n hwyrach. Yli, mi ffonia i di'n nes ymlaen. Drefnan ni rwbath at y penwsos ..."

Ond dydi hi ddim yn gwyro ymlaen i gyfarfod ei gusan.

"Na, Dyl. Jyst gwna un peth i mi."

"Gwnaf siŵr iawn. Unrhyw beth. O mai god, dwi mor sori, Anj. Lwcus i ni weld ein gilydd heddiw ..."

"Gei di ddileu Audi Llandudno o dy ffôn yn llwyr rŵan."

"Be'? O, ocê. Mi ro' i enw neisiach i ti ..."

"Na, ti'm yn dallt. Dilea fi. Dyna ôn i'n ei feddwl. O, a mwynhewch eich cegin newydd, ia?"

Cwta. Cryno. Cadw pethau'n syml. O, mi fasa hi'n medru adrodd llith wrtho fo, ond mae hi'n well fel hyn. Cadw'i hunan-barch, faint bynnag ydi gwerth hwnnw rŵan. Cerdda oddi wrtho yn ei sodlau gwaith. Maen nhw'n mynnu'i bod hi'n sefyll yn dalach, yn sgwario'i sgwydda, ond mae bodiau'i thraed hi ar dân. Mae hi'n cuddio'r ochr arall i'r sgip nes ei bod hi'n clywed injan ei gar o'n tanio, yn aros iddo fynd o'r golwg yn llwyr cyn tynnu'r sgidia. Cerdda'n ôl i gyfeiriad y castell sy'n meddiannu'r dref, sŵn y gwylanod ac ogla'r afon yn ei chymell hi'n nes.

Derbynia greulondeb oer y palmant dan ei thraed

fatha penyd. Un droed noeth o flaen y llall. Dydi hi ddim yn crio nes iddi gyrraedd y fainc. Traed oer, dagrau poeth. Pedwar mis o drio trwsio'i chalon i lawr y pan. Mae hi'n mynd i gymryd dwyawr i ginio heddiw, boddi'n iawn yn ei hunandosturi. Neb ond y hi a'r gwylanod ...

A rŵan, y cysgod tal, annisgwyl sy'n sefyll yn sydyn rhyngddi hi a'r hyn sy'n weddill o ryw linyn trôns o haul.

"Hei."

Ond 'Hei' digon clên ydi o er ei fod o dwtsh yn fusneslyd, â'r mymryn lleiaf o gonsýrn go iawn ynddo. Nid llais cyfarwydd, ond nid llais diarth chwaith. Yr unig beth ydi, does arni ddim isio clywed llais neb.

"Dwi'n dy nabod di, dydw?" medda'r cysgod tal, annisgwyl. "Lois Lane, y riportar."

Ac o! gachu hwch a niwsans, mae o'n ista ar y fainc wrth ei hymyl ac yn stwffio hances bapur i'w chyfeiriad.

"Dim tisiw go iawn dio, cofia. Citshin rôl. Mi fydda i'n cario peth yn 'y mhocad cofn mi gael oel ar fy nwylo odd' ar y beic, yli."

O Dduw, Mad Max ydi o. Hwnnw barciodd yn ei sbês hi'r diwrnod o'r blaen. Fedra'i diwrnod hi ddim mynd yn llawer gwaeth rŵan. Derbynia'r hancas bapur yn gegrwth. O leia dydi o ddim yn doilet rôl. Yn ei ffordd ddi-glem mae o'n amlwg yn meddwl bydd jôc anaddas yn ysgafnu rhywfaint ar y mŵd.

"Ty'd 'laen, Lois Lane. Pwy sy wedi marw, ta?"

Mae Angharad yn trwmpedu'i thor calon i gyd i'r nythaid o gitshin rôl cyn sniffian yn ddramatig:

"Anti Jên."

"O Iesu! Shit. Sori. Dôn i ddim wedi meddwl … Roeddech chi'n agos, dwi'n cymryd."

Mae hi'n gwasgu'r hances yn belen dynn ac yn ei photio i'r bin cyfagos gyda siot y byddai unrhyw un o'r gwylanod uwch eu pennau'n falch ohoni.

"Nac oedden, cofia. Welish i erioed mo'r ddynas. Dyna i ti beth digri, de?"

* * *

Caffi Marian ydi'r lle amlwg i fynd am banad. Mae llygaid honno'n ymestyn o'i phen fel cyrn malwen. Diolcha Angharad nad ydi Mad Max ddim yn ei ledr moto-beic i gyd heddiw, ar wahân i'r siaced. Ond hyd yn oed wedyn, mae'n llwyddo i dynnu sylw. Mae'n rhaid iddi gydnabod bod yna ryw egni o'i gwmpas. Does dim dwywaith nad ydi o'n olygus, hefo'i lygaid tywyll a'r cudyn lliw siocled du'n disgyn drostyn nhw. Ar adeg wahanol, mewn bywyd arall, gall ei dychmygu'i hun yn syrthio amdano. Neu o leia'n fflyrtio'n ddigywilydd hefo fo mewn sefyllfa fel hyn. Byddai'r drygioni bach parhaus yn y llygaid brown 'na'n gwneud hynny'n hawdd. Ond nid heddiw. Nid byth, y ffordd mae'i chalon hi'n clogio yn ei brest hi fel pelen o wlân. Sylweddola nad oes ganddi'r un syniad beth ydi'i enw fo.

"Angharad dwi, gyda llaw. Angharad Kiely. Gweithio ar yr *Herald*."

"Wyt, dwi'n gwbod." Mae o'n gwenu'n gam. "O leia

fydd dim rhaid i mi feddwl amdana chdi fel Lois Lane rŵan."

"Pwy wyt ti, ta? Neu oes raid i mi barhau i feddwl amdanat titha fel Mad Max?"

Mae o'n chwerthin o waelod ei fol, ac mae hi'n gwneud consesiwn dyfrllyd a gwenu'n ôl ar hyd ei thin. Dydi hi ddim yn y mŵd i rwdlian hefo neb, ac mae'n difaru cytuno i'r banad 'ma. Fe'i daliodd hi gynnau yn ei gwendid. Y cwbwl sydd arni isio'i wneud ydi mynd adra i grio ar y soffa.

"Be'? Ti'n meddwl amdana i, wyt?"

Mae hi'n culhau'i llygaid yn erbyn y bantar, a daw yntau at ei goed yn sydyn, yn amlwg yn ei atgoffa'i hun o'r cyflwr galarus roedd hi ynddo fo pan gafodd o hyd iddi.

"Sori. Am fod yn smala. Am dy fodryb di'n marw. Am bob dim." Mae rhyw olwg ddoniol o ddesbret arno sy'n gwneud iddi fod isio gwenu go iawn rŵan. Estynna'i law'n drwsgwl dros y bwrdd, gan droi'r pot sy'n dal y pecynnau bach o siwgwr. "Aled O'Shea at dy wasanaeth."

"O'Shea? Mi rwyt titha o dras Gwyddelig hefyd, felly?"

"Rhyw lun. Rhyfedd de? Ella bod yna hen gwlwm Celtaidd rhyngon ni. Ein cyndeidiau ni wedi sefyll ochr yn ochr yn ystod Gwrthryfel y Pasg. Dyma ninna rŵan, genedlaethau'n ddiweddarach. Aduniad Kiely ac O'Shea."

"Kiely ac O'Shea. 'Dan ni'n swnio fel cwmni cyfreithwyr."

"Neu fusnes sgrap metal."

"Neu dditectifs?"

"Dwyt ti fawr o dditectif chwaith, nac wyt? Neu mi fasat ti wedi ffendio allan pwy oeddwn i, a finna wedi landio yn swyddfa dy bapur di a chreu cymaint o argraff."

Mae hi ar fin brathu'n biwis a dweud wrtho am beidio'i fflatro'i hun y basai hi'n meddwl amdano o gwbwl, heb sôn am drafferthu i ddarganfod pwy oedd o, cyn iddi sylweddoli'n sydyn mai tynnu coes mae o. Disgwylia iddo ddweud wrthi beth oedd o'n ei wneud yn swyddfa'r *Herald* ond dyma'r adeg y dewisa Marian ymddangos hefo dau goffi mawr, a rhywbeth yn ei llygad hefyd, yn ôl pob golwg, oherwydd ei bod hi'n sefyll tu ôl i ysgwydd dde Aled O'Shea ac yn nodio'i phen a wincio fatha ci wedi cael pry yn ei glust. Wedyn, yn union fel y gwnaeth Aled eiliadau'n ôl, mae hi'n sylwi ar wyneb gwelw Angharad a'i llygaid chwyddedig, cochion ac yn sobri'n sydyn.

"On ddy hows," medda hi'n raslon a gosod yr hambwrdd ar y bwrdd rhyngddyn nhw. "Mae unrhyw ffrind i Anji'n ffrind i mi." Ac yna, wrth ddarllen yr olygfa, try at Angharad â'i rêdar-Dyl-y-Dyn-Priod wedi ailddechrau twitsio: "Galwa tu ôl i'r cowntar i ni gael jangl cyn i ti fynd, Anj." Mae hi'n codi'r pecynnau siwgwr yn ôl i'r bowlen fel dynes ginio ffwdanus cyn diflannu eto am ysbaid tu ôl i'w pheiriant *cappuccino*.

Mae aeliau Aled O'Shea'n codi'n ddoniol-ymholgar: "Anji, ia? Cŵl."

"Dim ond i bobol sy'n fy nabod i."

Sylweddola'i bod hi'n swnio'n siort unwaith yn rhagor, ond does ganddi ddim awydd ymddiheuro. Be' ydi'r ots, p'run bynnag? Dydi hi'n nabod dim arno fo, nac yn debygol o'i weld o eto. Wel, nid o ddewis. Rhyw ddamwain a hap o gyfarfyddiad oedd heddiw eniwe. Dydi o'n gwybod dim byd amdani, na dim o'i hanes, ac mae o dan yr argraff ei bod hi'n ypsét am fod ei Modryb Jên wedi marw. Waeth iddo fo feddwl felly ddim. Does ganddi ddim awydd troi'i bywyd personol yn ddarllediad cyhoeddus. Ac mae yna rywbeth yn pwshi yn y boi 'ma. Gormod o hyder. Yn rhy ymwybodol o'r ffaith ei fod o'n ddoniol ac yn bishyn ac yn uffar o gatsh i unrhyw ferch sy'n chwilio am hync mewn côt ledr ddu. Ond doedd dim rhaid iddi fod wedi poeni dim am ei manyrs. Mae'n amlwg nad oes ganddo fo rai, gan iddo ymateb hefo: "Wel, s'mai eto – Anji. Ac Osh mae fy ffrindia inna'n fy ngalw i. Osh am O'Shea, de ..." cyn ei heglu hi i am y tŷ bach fel hogyn ysgol direidus.

"Anj, mae o'n drop ded gorj! Dechreua siarad."

Mae Marian yn ista yn sedd Aled O'Shea cyn i'r drws sy'n arwain i gyfeiriad y llefydd chwech gael cyfle i gau'n iawn ar ei ôl. Ond caiff ei siomi os ydi hi'n disgwyl cael hanes yr hync. Yn hytrach, mae Angharad yn baglu'n ddagreuol dros ei geiriau wrth adrodd yr hyn a ddigwyddodd rhyngddi hi a Dyl. Ei bod hi wedi cymryd yr awenau a gorffen pethau go iawn. Er ei bod hi'n dal i'w garu'n fwy na neb erioed. A wnaeth o ddim cwffio amdani, dim ond gadael iddi fynd. Estynna am syrfiét coch hefo Caffi Coffi Marian arno mewn llythrennau hapus pinc – yr ail o'i hancesi annhebygol o fewn awr – a diolcha Marian yn dawel ei bod hi wedi cael gwared ar y bastad hunanol 'na unwaith ac am byth. Gŵyr y bydd Angharad yn crio ar ei hysgwydd am wythnosau eto, ond bydd y poteli gwin a'r bocsys tisiws a'r galwadau ffôn am ddau o'r gloch y bore'n werth pob deigryn os caiff hi wared o'r cachwr Dylan 'na o'i system. Fydd Marian ddim yn dweud dim o hyn wrthi wrth gwrs, dim ond disgwyl i Angharad ddod i'r casgliad hwnnw yn ei hamser ei hun.

Daw Aled O'Shea yn ei ôl y tro hwn i encôr o sniffiadau o'r syrfiét coch.

"Bechod. Roedd ganddi uffar o feddwl o Anti Jên, ma' rhaid."

"Anti pwy?"

Ar hyn mae Angharad yn codi'n ffrwcslyd ac yn gwneud sioe dros ben llestri o edrych ar ei watsh. Mae holl hyder Aled O'Shea a'i gonsýrn am ferch nad ydi o prin yn ei hadnabod yn dechrau rhygnu ar ei nerfau.

"Gwranda, Mari, mi ffonia i di ar ôl gwaith, ocê? Dwi wedi cael mwy na dwyawr i ginio'n barod. Mi fydd Eic yn rhoi 'nghroen i ar y parad!"

Meddylia Marian yn annwyl am Eic, a fyddai'n cael trafferth rhoi croen glöyn byw ar y pared, heb sôn am flingo Angharad. Mae'n amlwg ei bod hi erbyn hyn wedi cael digon ar y boi 'ma, er mor ddifyr a del ydi o.

Gall Marian ddeall hynny. Does gan Angharad ddim lle yn ei phen ar hyn o bryd i hyd yn oed ystyried cwmni dyn arall. Bechod hefyd. Mi fyddai pishyn fatha hwn yn berffaith iddi. Byth oddi ar ei hysgariad poenus ei hun, mae Marian wedi credu bod tor perthynas yn debyg iawn yn y pen draw i gael codwm oddi ar gefn ceffyl. Mae hi'n gyfarwydd â'r ystrydebau amrwd i gyd. Dod dros y dyn dwytha drwy fynd o dan y nesa ac ati. Yr holl gyngor ansensitif tafod-yn-y-foch. Sycha'r bwrdd gydag ychydig mwy o egni nag sydd angen. Dyna'r rheswm pennaf pam bod ystrydeb yn ystrydeb – ambell waith, mae gormod o wirionedd ynddi.

Mae bod yn ei hôl wrth ei desg yn swyddfa hen ffasiwn yr *Eifionydd and Arvon* yn gysur diogel i Angharad, fel bod mewn hen lyfrgell neu festri capel ers talwm; y llefydd tawel, llonydd sy'n dal i chwyrnu cysgu ar atgofion ei phlentyndod. Faint o'r genhedlaeth ifanc dechnolegol heddiw tybed sydd wedi twllu festri capel erioed? Hen harmoniwm, ac ogla Pledge, a'r llun cymylog clên hwnnw o Iesu Grist troednoeth a siaradai Gymraeg. Blydi hel, mae hi'n teimlo'n hen. Bron yn ddeugain oed, ac wedi gwastraffu'r olaf o'i blynyddoedd mwya ffrwythlon ar y person anghywir. Wedi'i thwyllo'i hun y byddai gŵr dynes arall yn medru'i charu hithau. Efallai, pe bai hi wedi dewis yn ddoethach, y byddai ganddi blant erbyn hyn, hefo'r boi iawn … Mae hel meddyliau fel hyn yn gwneud i'r dagrau ddechra pigo eto. Boi iawn. Ydi'r fath greadur yn bodoli? Os ydi o, mae hi wedi bod yn chwilio yn y llefydd rong. Ac efallai nad ydi'r cyflwr o fod mewn cariad yn bodoli chwaith. Beryg mai rhyw lun ar salwch meddwl ydi o, yn chwalu pennau pobol nes eu bod nhw'n colli gafael ar realiti. Onid oes yna enw penodol ar beth felly? Rhyw derminoleg glinigol ...

"Yfa hwn tra bod o'n boeth." Eic. Nid jyst y tî bag y tro hwn. Mae'n rhaid ei fod o'n synhwyro rhyw fath o argyfwng.

"Hormonau," medda hi. Cyfleus. Peg i hongian ei chalon arno heddiw.

"Dos adra, Anj. Cymra'r pnawn. Mi fedri di ddal ati hefo'r hyn sydd gen ti ar y gweill tra rwyt ti'n ista ar y soffa hefo *Loose Women* ar miwt." Mae'r deijestifs yn y soser yn rhai siocled. "Ac o be' dwi'n ei ddallt, beth bynnag, mi rwyt ti wedi sgwennu rhai o dy ddarnau gorau tra roeddet ti adra yn dy byjamas!"

Mae'r syniad o guddio rhag y byd yn ei phyjamas hefo gwydraid o *sauv blanc* am dri o'r gloch y pnawn yn apelio. A bocs o siocledi a dwy barasetamol. Mae'i thraed hi'n bynafyd a'i phen yn pwmpio. Tynga lw sydyn iddi hi'i hun na wisgith hi byth sodlau uchel i'r swyddfa eto. Ac mae hi ar ôl yr oes rŵan beth bynnag. Trênyrs hefo ffrog ydi'r ffordd i fynd erbyn hyn. Callach a brafiach. Dylai hi argraffu'r geiriau hynny ar sticer i'w sodro ar fympar ei char. Arwyddair newydd ar gyfer ei bywyd o hyn ymlaen. Mae hi wedi ymlâdd. Dydi heddiw ddim drosodd o bell ffordd, ac mae hi wedi cael digon o ddrama i bara mis. Dylan a'i Anti Jên, a sbectol haul Chanel ei snotan o wraig yn disgyn am ei phen.

Aled O'Shea, y dieithryn powld â'i gitshin rôl: *Dwyt ti fawr o dditectif chwaith, nac wyt ...?*

"Eic? Pwy oedd y boi hwnnw oedd yma'r diwrnod o'r blaen yn y dillad moto-beic 'na? Hwnnw barciodd yn fy lle i?"

"O, ia. Dod i roi hysbyseb yn y papur wnaeth o. Mae o newydd agor lle moto-beics i fyny ym Mryn Iolyn."

Rhwng y siop geginau snobyddlyd 'na a'r lle tybiau poethion a oedd yr un mor ymhonnus, meddylia Angharad yn biwis. Doedd ei hen garej moto-beics o ddim mor brysur â hynny, mae'n rhaid. Pawb call yn sortio'u hysbysebion ar-lein i arbed gwastraffu amser. Ond wrth gwrs y basa pen rwd fel O'Shea'n dod i mewn i'r swyddfa'n bersonol dim ond er mwyn cael dangos ei hun yn ei ledr du. Tipical. Prat. Serch hynny, mae'i chwilfrydedd yn mynd yn drech na hi, a chyn datgysylltu'i laptop mae hi'n penderfynu cael sbec sydyn ar ei hen adfyrt gwirion o. Uniaith Saesneg, mae'n siŵr, i gydweddu â gweddill wancars eraill Stad Fusnes Bryn Iolyn.

Ond ymhen clic botwm neu ddau, gwêl Angharad ei bod hi'n gwbwl anghywir. Efallai mai prat ydi o, ond o leiaf mae o'n brat sy'n cynnal ei fusnes drwy gyfrwng y Gymraeg. Beiciau Osh. Syml. Dirodres. Gwahanol iawn i'r boi ei hun. O, wel. Mae'n rhaid iddi gyfaddef yn gyndyn fod hynny'n un peth, o leiaf, o blaid Aled O'Shea.

Erbyn iddi hel ei phac i fynd adra, mae'r te wedi oeri a'r siocled oddi ar y deijestifs wedi toddi i'r soser.

JEN

Dydi Mono ddim wedi maddau iddi. Ond dydi derbyn hynny ddim yn opsiwn ganddi. Mae Jen yn mynd i ddal i obeithio. I weddïo, hyd yn oed, er na fu hynny erioed yn fawr o gysur iddi. Creadigaeth dyn ydi Duw yn ei barn hi, ac nid fel arall rownd. Ac o gofio'i phrofiadau trychinebus hi'i hun hefo dynion, dydi meddwl am un sy'n gannoedd o flynyddoedd oed hefo locsyn at ei draed a'i ben mewn cwmwl yn ysbrydoli dim arni.

"Gadael dy dad ydw i, Iwan, nid dy adael di."

Ond roedd o'n bedair ar ddeg. Yn ddigon hen i benderfynu drosto'i hun hefo pwy roedd o'n byw. Yn ddigon hen i aros hefo'i dad, ond nid cweit yn ddigon aeddfed i ddeall bod dwy ochr i bob stori. Roedd chwerwedd ei dad a gwenwyn ei nain wedi llwyddo i'w droi yn ei herbyn: y fam wael, anghyfrifol oedd yn esgeuluso'i mab er mwyn mynd allan i hel dynion. Gwyddai'r hogyn, yn ei galon, nad oedd eu beirniadaeth ohoni'n gwneud synnwyr. Doedd o ddim yn cofio, go iawn, iddo gael ei esgeuluso ganddi erioed. Yr adegau hapus roedd o'n eu cofio i gyd – y chwerthin a'r chwarae'n wirion a'r dyddiau ar y traeth tra oedd ei dad bob amser yn rhywle arall hefo pethau pwysicach i'w gwneud nag ymddiddori yn ei blentyn. A doedd y bychan ddim wedi clywed neb heblaw am ei nain yn sôn dim amdani'n mynd hefo dynion eraill. Mae hi'n amlwg iddo erbyn hyn na fu yna neb ar wahân i Joe.

Dydi o ddim yn gwybod hyd heddiw pam ei fod o wedi ochri hefo'r rhiant anghywir. Gormod o ofn peidio, efallai. Gormod o genfigen tuag at y boi newydd oedd wedi cipio calon ei fam oddi arno. Mae o'n sylweddoli erbyn hyn fod ei dad yn uffar piwis. Yn hollol wahanol i Joe, sy'n glên ac yn foi iawn ac yn dal i wneud ei fam yn hapus hyd heddiw. Crefodd Jen ar ei mab i fynd hefo hi. Doedd Bolton ddim ym mhen draw'r byd, nac oedd? Ond roedd ei wreiddiau yntau fel nadroedd, yn eu clymu'u hunain am ei falchder a'i genfigen a'i rwystredigaeth i gyd. Yn gwneud mul ohono. Styfnigodd. Pwdodd. Gormod o'i dad ynddo wedi'r cyfan. Doedd o ddim yn gwybod sut i ddad-wneud ei benderfyniad. Sut i ddod yn iawn hefo hi eto. Felly sticiodd hefo'i dad. Gwneud yr hyn roedd hwnnw wedi'i wneud erioed a suddo i'w gragen. Ac ymhen hir a hwyr, teimlai Mono'i deyrngarwch tuag at y person rong yn oeri ac yn ceulo ac yn mynd yn angof fel y mynydd llestri budron a oedd yn dechra drewi wrth ochr y sinc.

Chaeodd Jen erioed mo'r drws ar ei pherthynas â'i mab. Yn hytrach, mae hi fel petai hi'n gadael drws caets ar agor yn y gobaith y bydd y deryn bach a fu ynddo'n hiraethu a fflio yn ei ôl. Mae hi'n trio'i ddenu ati hefo briwsion o negeseuon – tecsts bach yn holi amdano, pytiau bach o newyddion, lluniau doniol ar WhatsApp – gan aros o'r golwg rhag ei ddychryn i ffwrdd drachefn. Ond pan fo pellhau corfforol ac emosiynol yn digwydd rhwng dau berson, a'u bod nhw'n colli gafael ar fywydau'i gilydd, p'run a ydyn nhw'n deulu neu'n gariadon neu'n ffrindiau, mae'n amhosib iddyn nhw ragweld cerddediad y naill a'r llall o ddydd i ddydd. Ydi hi'n awr ginio arnyn nhw? Ydyn nhw ar eu pennau'u hunain? Ydyn nhw'n brysur ynteu'n ista dros banad yn hel meddyliau? Dyna ydi problem fwyaf Jen. Gwybod pryd yn union i gysylltu â'i mab er mwyn ei gael i'w hateb. Gan amlaf, mae o jyst yn ei hanwybyddu. Felly heddiw mae hi'n penderfynu bod yn gyfrwys. Y sefyllfa'n ei chynnig ei hun. A phan wêl Mono rif diarth yn cysylltu'n syth ar ddiwedd y practis band, ac yntau'n disgwyl clywed gan y garej ynglŷn â chasglu'i gar, mae'n derbyn yr alwad. Mae o hefyd yn rhoi'i ffôn ar sbîcar am ei fod yn brysur yn datod cêbls a chadw'i gêr. Fasa fo ddim yn gwneud hynny petai Gibs yn dal o gwmpas chwaith, i wrando ac i gymryd y pìs eto fyth. Dim ond fo ac Arthur Twm sy'n dal ar ôl yn y neuadd. Mae Arthur yn rhoi lifft iddo heddiw beth bynnag – naill ai adra neu i'r garej – oherwydd y prawf MOT.

"Iwan? Mam sy 'ma."

Hanner eiliad a dau air arbennig roedd hi'n eu cymryd i'w daflu oddi ar ei echel: doedd neb ond dieithriaid yn ei alw fo'n Iwan, a doedd yntau bellach byth yn ei galw hi'n Mam.

"Iawn, Jen?" Trio swnio'n ddidaro, yn ddiolchgar bod Arthur Twm â'i drwyn yn sgrin ei ffôn ei hun.

"Isio gadael iti wybod fy mod i wedi cael ffôn newydd ... rhif newydd ..."

Er ei bod hi wedi tecstio'r rhif iddo eisoes, wrth ei anfon at bob cyswllt arall sydd ganddi ar ei hen ffôn. Mae'r ddau ohonyn nhw'n gwybod hynny. Ac mae'r ddau ohonyn nhw'n gwybod ei bod hi'n desbret. Iesu, mae hynny'n atgas ganddo, yr hiraeth 'na yn ei llais hi sy'n cymysgu hefo'i euogrwydd yntau ac yn corddi'n wenwynig yng nghefn ei wddw fel asid batri.

"Ocê," medda fo. Unsillafog oherwydd bod hynny'n haws. Swta. Yn ateb fel mochyn er bod yr hogyn bach tu mewn iddo'n rhedeg yn droednoeth i freichiau'i fam drwy'r tywod yn ei gof.

Mae hi'n parablu fel petai'i bywyd yn dibynnu ar faint o eiriau y medar hi eu stwffio i'r gofod rhyngddyn nhw. Does ganddi ddim syniad pa mor anodd ydi hi iddo fo, sut mae'i feddwl o'n rhewi rhwng pob gair ac yn ei droi'n rhywun arall. Yn rhywun fydd yn ei gasáu'i hun am fethu siarad hefo'r person a fu unwaith yn bopeth iddo. Mae hi'n mwydro'i ben o rŵan am yr un pethau, yr un hen sgwrs. Tyrd i aros am wicend. Er nad aeth o yno i aros erioed. Neu am y diwrnod, de. Neu ella medran ni gwarfod yn rhywle ... Mae'r garafán yn dal gynnon ni i fyny yn y Foel, sti. Dos yno os wyt ti ffansi brêc bach. 'Dan ni wedi newid y cod ar y bocs sy'n dal y goriad hefyd. Pen blwydd Jess! Joe yn deud bod isio amrywio petha fel'na bob hyn a hyn. Haws newid peth felly na newid rhif ffôn hefyd, cofia! Chwerthiniad bach nerfus. Mwydro, siarad, chwerthin nes bod y diwn gron drasig 'ma'n dechrau brifo'i glustiau. Pam fasa fo isio mynd ar gyfyl y blydi garafán honno yng nghanol nunlla? Roedden nhw wedi'i phrynu hi hefo pres ar ôl mam Joe, rhyw ymgais bathetig i gadw cysylltiad â Chymru, er mai i lefydd fel Sbaen roedden nhw'n arfer mynd ar eu gwyliau. Hi a Joe. Fo a'i dad. Bocsys ar wahân â chaead ar bob un. Mae o'n falch – ac yn uffernol o drist – pan ddaw'r alwad i ben.

Erbyn iddo fynd allan i'r cefn mae Arthur wedi llwytho'i ddrym cit, ac mae yna decst wedi dod gan Stifyn o'r garej: *Ma dy dun sardîns di'n saff i fod ar lôn am flwyddyn arall!* Wedi'i ddilyn hefo imoji bys canol. Ac yn ôl ei arfer, mae Arthur Twm yn seicic:

"Garej Stîf?"

"Sbot on."

Mae Mono'n sylweddoli'n sydyn ei fod o wedi blino'n uffernol. Yn rhoi'i ben yn ôl ar y sedd ac yn gwylio'r pnawn yn darfod yn gynnar, yn cyrlio'n felyn arno'i hun fel papur newydd yn llosgi. Mae'r goeden gardbord binc sy'n hongian o'r drych yn llenwi car Arthur hefo ogla bybl gỳm.

"Pwy ydi Jess ta?" Arthur yn newid gêr, arafu, rhoi arwydd i hen gwpwl groesi o'i flaen a chodi'i law fel ewyrth ystyriol. Mêt pawb.

"Y ffycin gwningan," medda Mono.

Mae o isio cau'i lygaid, a mynd a mynd heb stopio, a dim byd yn ei ben o heblaw suo'r injan a sŵn amheuthun y ddau ohonyn nhw'n chwerthin.

O S H

Mae Aled O'Shea yn ecsbyrt ar dor calon. Yn gymaint o ecsbyrt ag yr oedd ei nain ers talwm ar gynnig rhyw wireb neu'i gilydd ar gyfer pob achlysur. Gall ei chlywed rŵan, fel petai'i lun ohoni'n ei gyfarch o'r ffrâm a osododd rhwng y ddau sbîcar ar y silff sy'n dal ei gasgliad feinyl: y sawl a fu a ŵyr y fan, Aled bach. Dyna'n union a ddaeth i'w feddwl heddiw wrth weld Anji Kiely yn ei dagrau. Wel, nid yr union ddywediad, efallai. Mwy o sylweddoliad ei bod hi wir yn 'cymryd un i nabod un'. Ddim cweit mor ddiwylliedig a ieithyddol bur ag roedd têc ei nain ar bethau, ond roedd yn ei dywys i'r un lle. Ac yn dal i deyrnasu yn y lle tywyll hwnnw yn ei feddwl, yn greulon o ddeniadol iddo o hyd, hefo'i gwinadd cochion fel llysfam Eira Wen, yr oedd Fiona.

Yn union fel camu dros riniog stori dylwyth teg, roedd mynd trwy ddrysau gwydr swyddfeydd LangleyTec fel pe bai o'n cael ei lyncu, gorff ac enaid, gan fyd arall. Daeth gwisgo siwt yn ail natur iddo. Dechreuodd fwynhau codi'n gynt er mwyn siafio bob bore. Roedd pobol yn ei alw fo'r hyn y tybien nhw ei fod yn swnio fel Aled, eu Saesneg yn gwasgu'r 'e' yn ei enw i le llai, megis diffodd stwmp sigarét. Ymhen dim, daeth yn Al, y cyfreithiwr busnes llygaid barcud a wisgai watsh TAG Heuer ac afftyrsiêf Tom Ford. Ffeiriodd ei T-bird 900 am un o geir fflash y cwmni cyn rhwydded ag y ffeiriodd yr enw Osh am enw gangstar. A glaniodd ei lygaid barcud ar Fiona, heb lawn sylweddoli mai hi oedd yr un a benderfynodd o'r diwrnod y gwelodd hi o mai felly roedd pethau i fod.

Mae'n debyg y byddai'i gydwybod ryw dwtsh yn esmwythach erbyn heddiw pe bai o'n gallu dweud â'i law ar ei galon na wyddai ar y pryd bod Fiona'n wraig briod. Ond erbyn iddo daro arni, roedd o eisoes wedi gwerthu'i enaid i'r diafol yn gyfnewid am yr heip a'r statws a'r ffenestri panoramig, ac am y llond cratsh o adrenalin a oedd yn hotweirio'i wythiennau bob dydd. Nid yn unig hynny, roedd Osh ar ymgyrch i newid ei fywyd yn llwyr ers iddo fo a Siw wahanu. Fo orffennodd y berthynas. Dewisodd ei hunan-barch dros y boen o fynd drwy'r mosiwns, dros yr ymdrech ofer i drio dal ei afael mewn darnau o ddrec fel dyn yn boddi. Hi oedd yr un a ddechreuodd bellhau, ond y hi hefyd oedd yr un a wrthodai wynebu'r anorfod: yr hogan annwyl, glên nad oedd arni byth isio brifo neb, yn enwedig fo. Bob tro roedd o'n gofyn iddi a oedd arni isio gorffen pethau, gwadai fod yna broblem, cau'i chalon fel cragen las. Oni bai'i fod o wedi dilyn ei reddf, a gwrthod parhau i deimlo fatha Hômles Dave, a arferai ista yn nrws WH Smith ers talwm er mwyn i bobol adael brechdanau wrth ei draed, byddai hefo Siw o hyd, yn derbyn rhyw gardod o gariad hyd dragwyddoldeb.

"Siw, ti'n siŵr ein bod ni'n iawn?"

"Paid â dechra hyn eto, Osh." A throi'r stori'n syth: dwi wedi dod â'r peth-a'r-peth i swpar heno. Neu: mi welish i hwn-a-hwn/hon-a-hon yn Asda heddiw; Iesu, mae o/hi wedi colli/ennill pwysa, cofia.

Weithiau, roedd o'n gofyn yn blwmp ac yn blaen:

"Wyt ti isio gorffan? Mi faswn i'n dallt, sti ..."

A'r diwrnod y dywedodd hi na fasa hi byth isio bod yr un i orffen pethau oedd y diwrnod y rhoddodd hi'r switsh golau ymlaen yn ei ben. Roedd hi wedi bod yn gorffen hefo fo ers misoedd yn y ffordd fwya dan din bosib, yn tynnu oddi wrtho'n raddol bach fel nad oedd hi'n ddim byd erbyn y diwedd ond delw ohoni hi'i hun yn ista wrth ei ochr. Buon nhw mor agos unwaith, a'u chwerthin a'u caru uwchlaw popeth a brofodd hefo neb arall erioed. Lle'r aeth hynny i gyd, megis dros nos? Efallai'i bod hi jyst yn uffar o actores dda wedi'r cyfan. Yn anterth eu perthynas, a nhwtha'n rhannu cyfrinachau fel smartis a'u cariad yn chwalu'u pennau, mi afaelodd hi'n dynn ynddo a dweud na fedrai hi byth ddychmygu'i bywyd hebddo. Roedd arno yntau ofn. Ofn ei cholli. Ofn credu'i lwc. Onid unwaith mewn oes y deuai cariad fel hyn heibio i rywun? Doedd rhai byth yn profi'r fath angerdd. Be' os daw hyn i ben? A hithau'n ei gysuro, pe bai'r annhebygol yn digwydd, y byddai rhywbeth cyn hardded â hyn yn bownd o orffen yn dlws.

"Law yn llaw," medda hi wrtho. "Os bydd y sbarc yn diffodd, mi fyddwn ni'n onest hefo'n gilydd."

Hyd yn oed bryd hynny, a'u hangerdd yn newydd sbon, roedd Siw wedi rhagweld eu gwahanu. Sefyll-mewn-cachu-ci o sylweddoliad oedd hwnnw, yn gwneud iddo deimlo fel idiot. Mi driodd Osh ei orau i feddwl amdani fel bitsh hunanol â'i gonestrwydd yn jôc. Trio'i orau i'w chasáu oherwydd y byddai hynny wedi gwneud pethau'n haws. Ond ar ôl amser hir, a wisgi arall yn ormod, penderfynodd wynebu'r ffaith nad casineb a deimlai tuag ati hi, ond yn hytrach rhyw gymysgedd o siom a thristwch a rhywbeth arall di-droi'n-ôl, fel plentyn yn sylweddoli mai dyn mewn siwt gogio ydi Santa Clos.

Liam oedd ei achubiaeth yn y diwedd. Nid ei fod o wedi cael y croeso mwya gwresog ganddo.

"Ffwc ti'n da yma, Insbector Môrs?"

Gwnaeth ei frawd mawr siâp ceg fatha twll din iâr, ei lygaid plisman yn sgubo dros y llanast yn yr ystafell fyw.

"Ti isio i mi ffonio fforensics?"

"Be' ti'n fwydro?"

"Blaw 'mod i'n gwbod yn well, swn i'n meddwl dy fod ti wedi cael dy fyrglo."

"Ffyni."

Ond doedd yr un o'r ddau'n gwenu.

"Amsar i ti gael trefn arnat ti dy hun, Osh."

"Sori. Ma'r forwyn ar ei holides, 'li."

"Trefn ar dy ben, ôn i'n ei feddwl."

"No shit, Sherlock."

"Siriys, mêt. Tyn dy drwyn o dy din, ia?"

Mi gymrodd dros awr o berswadio a bygwth a dwy banad ddu (fedra i'm cynnig llefrith i chdi – mae o'n cau dŵad allan o'r botal) cyn i Osh gytuno i fynd hefo'i frawd i'r *gym* drannoeth. Ac oni bai am y ffaith bod Liam O'Shea yn sics ffwtar o DCI hefo sgwydda cyn lleted â wardrob, mi fasa cael ei frawd bach i gadw at ei air wedi gallu bod yn broblem (ffyc sêc, ôn i'n meddwl na chwech o'r gloch y nos ddudist ti), ond talodd yr holl ymdrech ar ei ganfed. Gwyddai Liam y byddai hi'n haws cael Osh i ddechrau trênio nag i ddechrau siarad. Wedyn fasa hynny'n digwydd. Defnyddiai'r un dacteg wrth holi sysbect. Panad a sgedan (smôc fyddai hi ers talwm) a siarad ffwtbol nes i'r boi anghofio nad ista yn y pỳb oedd o, a fesul gair, fel peipan ddŵr yn gollwng diferion, roedd o'n cael yr hyn roedd arno'i isio. Dipyn o bwysau wedyn, a dyna hi: byrst. Wêts, cawod a brecwast llawn yn y caffi oedd ei gynllun y bore hwn. Ac Osh yn ei lygadu trwy lygaid culion, yn cael blas, ar ei waethaf, ar ei sosej ac wy.

"Sut mae gen ti amsar i hyn i gyd bore 'ma, ta? Sgin ti'm criminals i'w croesholi?"

"Meddwl baswn i'n practisio arnat ti."

"Ma' isio mwy na ffwl Welsh i gael at fy sîcrets i, mêt!"

Ond roedd yna ddealltwriaeth rhyngddyn nhw rŵan. Dwi yma i ti. Gwbod bod chdi. Roedd y cydchwysu, y cydfwyta'n rhan o'r angen cyntefig hwnnw i sefydlu'r ddealltwriaeth bron yn delepathig honno lle nad oedd rhaid brawddegu'n llawn. Gwyddai Liam fod y bitsh fach benfelen 'na wedi torri calon ei frawd o'n dipia, ond gwyddai hefyd y byddai Osh yn llawer gwell ei fyd hebddi yn y pen draw, er na feiddiasai ddweud y ffasiwn wirionedd ar boen ei fywyd. Yn lle hynny dywedodd:

"Ma' Ner yn mynnu dy fod ti'n dod acw am swpar heno. Ma' hi'n gneud cinio Sul."

"Dydd Iau ydi hi."

"Jyst blydi ty'd draw, ocê?"

Newidiodd bywyd Osh o'r diwrnod hwnnw. Nid dros nos. Siw oedd yn dal ar ei feddwl y peth dwytha'n y nos a'r peth cynta pan ddeffrai. Ond roedd hynny'n brathu llai fel yr âi'r dyddiau'n wythnosau, yn mynd yn fwy o gosi nag o bigo. Roedd ei glwyf yn dechrau ceulo, ond mi fyddai'n gadael craith am sbel. Dim ond bod craith yn haws byw hefo hi na briw agored, yn enwedig a honno o'r golwg o dan ei grys.

Torrodd ei wallt yn wahanol. Aeth am gyfweliad i Fanceinion ar ôl sefyll o hirbell a gweld ei swydd gyntaf gartrefol hefo twrna lleol am yr hyn oedd hi – saff. Neu yng ngeiriau Nerys, ei chwaer-yng-nghyfraith, boring.

"Chei di byth ddyrchafiad o fewn y cwmni, na chei, Osh? Cyfle i fynd yn bartnar? Nid â mab Huw'n graddio eleni. Maen nhw'n cadw petha felly yn y teulu."

Gwyddai Osh yn ei galon fod hynny'n wir erioed lle'r oedd cwmni teuluol Wilfred Jones and Gresford yn y cwestiwn. Huw, ei fòs, oedd mab Wilf, a Nans, wyres yr hen Gresford, oedd y partner arall. Roedd y slot nesaf yn yr hierarchaeth wedi'i chadw ar rew ar gyfer yr adeg pan gyrhaeddai mab Huw o'r coleg hefo'i radd 2:2 a'i lwy aur yn ei boced i fyta'i iogwrt organig pan gâi'i ddwyawr i ginio. Gwyddai pawb, tu mewn a thu allan i'r swyddfa fach hen ffasiwn – a edrychai o'r lôn mor ciwt a hynafol â siop antîcs – mai dyna fu'r drefn erioed, ac felly'n union y byddai hi tra llwyddai Huw a Nans i allu perswadio'u plant, a phlant eu plant, i ddilyn traddodiad yn lle dilyn eu calonnau. Ond doedd hyn i gyd yn poeni dim ar Osh pan driodd o am y job. Cyflog stedi a sefydlogrwydd roedd arno'i isio. Ar y pryd. Oherwydd bod Siw yn rhan o'r darlun yr adeg honno. Pe cawsai hi, doedd arno angen dim mwy na thalu'i ffordd. A thra bod ei gyfoedion yn y gyfraith yn dringo'n uwch, yn mynd yn bartneriaid – ac ambell un erbyn hyn yn farnwr rhanbarth hyd yn oed – caeodd Osh ei fywyd o amgylch Siw a'i haddewid am ddyfodol, fel pe bai o'n corlannu'i hapusrwydd rhag ofn iddo fo drio'i hyrddio'i hun drwy'r clawdd fel rhyw hen faharan pengaled. Roedd o'n fodlon ar ei fyd, yn plodio'n braf trwy brôbet, ewyllysiau hen bobol ac ambell i gynnwrf clawdd terfyn i dorri ar yr undonedd. Ac roedd o mewn gwaith, yn doedd? Dim gormod o stres. Pwy oedd o'n ei feddwl oedd o, eniwe, de? Fel byddai Siw yn ei atgoffa o hyd: diolcha am be' sgin ti. Fyddi di byth yn Kavanagh QC, na fyddi, Osh, felly be' ydi'r ots?

Ond fedar neb gorlannu teimladau rhywun arall chwaith, a'u hel nhw i gongol fatha defaid. Os ydi rhywbeth – boed y rhywbeth hwnnw'n ddyn neu'n anifail – wedi meddwl ei fod o am ddianc, dianc wneith o, p'run a ydi o'n mynd yn sownd mewn drain ai peidio.

O achos bod yna fwy nag un ffordd o ddianc. Efallai pe bai Siw wedi pacio'i chês a rhoi clep i'r drws ar ei hôl y byddai hi wedi bod yn haws i Osh dderbyn ei bod hi wedi'i adael. Yn lle hynny, fe'i gorfododd i wneud y gwaith anodd drosti trwy gloi rhyw damaid bach ohoni hi'i hun oddi wrtho, fesul sgwrs ddisylwedd a chroeso digusan, tan nad oedd ganddi ddim ar ôl i'w gynnig. Tan ei gael i yngan y geiriau y bu hi'n dyheu am eu clywed:

"Sori, Siw, fedra i'm gwneud hyn ddim mwy. Dydi mynd drwy'r mosiwns fel hyn ddim gwerth ei gael."

Roedd o wedi hanner gobeithio y byddai hi'n dadlau yn ei erbyn, ac y byddai'r sioc o'i glywed o'n dweud y fath beth yn dod â hi at ei choed. Ond wnaeth hi ddim hyd yn oed ateb, dim ond codi'i sgwydda fel petai o newydd ymddiheuro am droi gwydraid o win ar y carpad. Roedd ei thawedogrwydd yn uwch ei gloch nag unrhyw lifeiriant geiriol. Roedd o fel arwydd mewn golau neon uwch ei phen: dwi ddim yn dy garu di, Osh. Meddyliodd wedyn efallai nad oedd hi wedi'i garu o go iawn erioed, a theimlo'i fod yntau wedi bod mewn cariad hefo rhith, fel y merched 'na sy'n cael eu sgamio gan filionêrs cogio ar wefannau dêtio. Wel, mi ddwynodd hi'i galon o, reit siŵr, ac mi gachodd am ben ei hunan-barch. Ar un ystyr, roedd hynny'n waeth: teimlo nad oedd o'n ddigon da, yn ddigon clyfar, yn ddigon o bishyn i ddenu neb i berthynas ystyrlon byth eto. Fasa fo byth wedi dweud hynny wrth Liam, ond yng nghanol y golchi llestri a'r clirio a gwagio esgyrn y cyw iâr i'r bin ailgylchu bwyd, mi ddaru o gyfaddef wrth Nerys.

"Dwi'n gwbod ei bod hi wedi 'nhrin fatha idiot, Ner, ond ..."

"Ond be'? Pasia'r jwg grefi i fama, nei di ...?" Efallai'i bod hi wedi bod ormod yng nghwmni Liam. Gweu'r holi rhwng y geiriau gweigion. Risýlt.

"Fedra i ddim dychmygu cael hyd i neb tebyg iddi byth eto, sti."

"Wel, thanc ffyc am hynny, dduda i!"

A dyna'r cyfan a ddywedodd Nerys am Siw. Dim egluro na chyfiawnhau. Dim ond gadael i'r sylw hofran yno, uwch ben y sinc, nes daeth sŵn y teledu i mewn atyn nhw o'r stafell arall, a hongian ar ymylon eu sgwrs fel clychau bach Dolig. Cyn iddo fynd adra'r noson honno, rhoddodd lyfr hipi-dipi iddo ar bositifrwydd a phwysigrwydd dysgu syrthio mewn cariad hefo chdi dy hun.

"Ma' rhaid i ti ddarllen y ddwy bennod gynta cyn mynd i gysgu heno, ti'n clywed? Achos mi fydda i'n dy ffonio di fory i dy holi di amdano fo!"

Hanner ffordd drwy'r ail bennod roedd yna amlen fach hefo'i enw arni a llun ffelt pen o wyneb crwn yn gwenu: Osh – sbia ar hwn. Ner xx. Hysbyseb wedi'i thorri'n dwt o bapur newydd yn gofyn am ymgeiswyr ar gyfer swydd yn adran gyfreithiol LangleyTec, cwmni meddalwedd ym Manceinion. Ei ymateb cyntaf oedd ysgwyd ei ben a gwenu'n gam wrtho'i hun, ei feddwl yn troi at y sylw chwerthinog hwnnw a wnaethpwyd mor aml roedd o bellach yn glais ar ei gof: *fyddi di byth yn Kavanagh QC, na fyddi, Osh ...?* A sylweddoli'n sydyn nad ei farn o oedd honno wedi'r cyfan, ond geiriau roedd o wedi'u clywed mor fynych fel iddo ddechrau credu eu bod nhw'n wir. Efallai, ar y pryd, fod arno isio credu eu gwirionedd oherwydd eu bod nhw'n eiriau saff, yn ei gadw yn ei gynefin, yn rhydd o bob uchelgais. Onid oedd o wedi gwireddu pob uchelgais yn barod wedi'r cyfan? Onid oedd ganddo Siw?

Nid cyd-ddigwyddiad oedd o bod Nerys wedi stwffio'r amlen rhwng y tudalennau roedd o newydd eu darllen am gofleidio ofnau a gwireddu breuddwydion. Roedd hi fel pe bai diwrnod o godi'n gynnar i ymarfer a bwyta'n dda a throi cefn ar y botel wisgi wedi dechrau chwalu'r shit o'i frên er mwyn iddo gychwyn dalen lân. Estynnodd am ei laptop a lawrlwytho ffurflen gais LangleyTec. Roedd llyfr Nerys yn mynnu bod y bydysawd yn gwylio ar ein holau ni i gyd. Bod yr hyn sydd i fod ar dy gyfer ddim yn mynd heibio i ti. Ffawd oedd ar waith felly? Yn ei dywys at ei swydd newydd, i Fanceinion. At Fiona. I ganol affêr dinboeth, danbaid hefo gwraig un o'i fosys. Fiona ddigywilydd o feddiannol, yn gadael stamp ei pherchnogaeth yn gripiadau barus ar hyd ei gefn, fel bleiddiast yn piso dros olion ast arall: fia pia chdi.

Ffawd, felly, oedd yn ailymyrryd, pan ddaeth hi'n amser i'w achub drachefn o afael crafangau cochion Fiona Langley, a dod â fo adra'n ôl. Dweud wrtho am dyfu'i wallt a chwilio am ei ledar moto-beic unwaith yn rhagor. Y 'rebel wicend' bellach yn ffwl-taim. Yn parcio yn sbêsys merched hormonal sy'n ei hotffwtio hi yn eu dagrau hyd balmentydd y dre â'u sgidia yn eu dwylo.

Dydi'r hyn sydd ar dy gyfer di ddim yn mynd heibio i ti.

Un i mi, Nain. Chlywais i erioed mo honna gynnoch chi. Y sêr sy'n dweud, cofiwch. Nid y fi.

Ffawd.

Fedar neb gwffio hwnnw, na fedar? Wel, fedra i ddim, de. A dweud y gwir, dwi ddim hyd yn oed am drio. Gwybod yn well erbyn hyn.

Y sawl a fu a ŵyr y fan.

DCI LIAM O'SHEA

Mae Liam O'Shea wedi cael un o'r dyddiau shit hynny sy'n gwneud iddo ddechra cyfri'r blynyddoedd tan ei ymddeoliad. Gorwedda'n ôl ar y twmpath clustogau a ddefnyddia Nerys bob amser i addurno'u gwely. Blydi niwsans o bethau. Isio'u lluchio nhw ar lawr bob nos a'u codi nhw yn eu holau wedyn yn y bore. Welodd o erioed mo'u pwrpas nhw. Be' ydi'r iws cael clustogau drud os na cheith rhywun orffwys ei ben arnyn nhw? Dydi o ddim wedi trafferthu i'w symud heno. Sod it. Mae o wedi ymlâdd. Ond er bod ei gorff yn llonydd, mae'i lygaid o'n ddigywilydd o brysur wrth iddo syllu'n farus ar ei wraig yn tynnu amdani.

Hyd yn oed ar ôl ugain mlynedd o briodas, dydi o byth yn laru syllu ar Nerys, yn noeth ac yn ei dillad. Gŵyr hithau hynny. Fu hi erioed yn swil o'i flaen, a daw i orwedd wrth ei ochr rŵan gan ymestyn ei chorff yng ngwres ei edrychiad fel cath yn yr haul. Mae canhwyllau'i llygaid fel pyllau o inc. Hi fydd yn rheoli heno. Yn ei ddadflino er mwyn iddo flino'n braf. Ond nid cyn iddi fynnu am yr eildro iddo symud y blydi clustogau.

Meddylia wedyn, a hithau'n dal i aros yn dynn yn ei goflaid, ei fod o'n fastad lwcus. O achos mai dyna ydi o i gyd, yn y pen draw: lwc. Mae'r fflam naill ai'n diffodd, neu dydi hi ddim. Neu'n hytrach, y fflamau. Mae angen dwy, un i gynnal y llall. Dyna mae o'n ei gredu, beth bynnag. Pe bai o'n ddyn llai doeth, gallai orwedd yno'n teimlo'n smỳg. Nêld it, mêt. Ond dydi o ddim yn smỳg. Mae o wedi gweld gormod o briodasau'n mynd i'r gwellt, gormod o eiriau hyll yn arwain at weithredoedd hyllach, a gormod o'i ffrindiau'n boddi'u gofidiau dim ond am fod rhywun, neu rywbeth, wedi piso ar eu fflamau nhw. Ac mae Osh, ei frawd, yn ticio'r bocsys i gyd. Tecst-bwc ffyc-yp.

"Be' ddoth dros i ben o, Ner, i adael LangleyTec fel'na? Yn byw a gweithio yng nghanol y jet set. Iesu, oddo'n mêd, doedd? A rŵan mae o yn ei ôl adra ac yn malu cachu hefo rhyw siop foto-beics. Ma' isio gras, de, hogyn peniog fatha fo ..."

"Dwyt ti ddim yn falch o'i weld o'n ôl ta ...?"

"Wel, ydw, ond ..."

"Nid ei annog i fynd i Loegar am byth oedd y nod, naci, Liam? Ond ei gael o'n ddigon pell oddi wrth y flondan fach wenwynig 'na. Ei helpu o i ddod drosti. Ac mi weithiodd, yn do? Dwi'n ei gweld hi rŵan hefo'i thin bach seis êt yn y jîns tyn 'na. Be' di'r pwynt medru ffitio i ddillad Barbie pan ma' gin ti geg fatha twnnal Conwy? Osh druan. Y cwbwl roedd hi'n ei wneud oedd ei fychanu o a'i sbeitio fo drwy gogio mai hwyl diniwed oedd o. Gwynt teg ar ôl y bitsh."

Fedar Liam ddim peidio gwenu ar ei thaerineb. Fuodd Nerys erioed yn seis êt, a gobeithia yntau na fydd hi byth yn dymuno bod felly. Deil hi'n dynnach ato, a gwirioni drachefn ar ei phen-ôl braf a'r bronnau trymion, meddal y mae hi'n ei wahodd i ymgolli ynddynt dro ar ôl tro. Maen nhw'n aros felly am sbel, ac yntau â'i ben yn gorffwys ar guriad ei chalon; mae honno hefyd yn hael ac yn braf. Yn ddigymell, mae'i lygaid o'n llenwi. Does ganddo'r un syniad sut y byddai'n dygymod hebddi. Ac yn sydyn reit, yn yr eiliad honno, yn niwl y 'be' petai', caiff Liam gnofa o ansicrwydd. Fedar neb ragweld dim byd, meddylia. Am y tro cynta erioed, mae'i hapusrwydd ei hun yn ddychryn iddo, a chaiff fflach o ddechrau deall yr angst a anfonodd ei frawd i Fanceinion.

Mae Siw'n briod hefo rhyw greadur anffodus arall erbyn hyn a chanddi blentyn dwyflwydd oed. Ac mae'i frawd wedi dianc unwaith yn rhagor oddi wrth ffyc-nos-be' hefo rhyw gŵgar o Saesnes o'r enw Fiona. Dydi o ddim wedi cael rhyw lawer o fanylion, ond gŵyr nad ydi Osh wedi datgelu'r cyfan wrtho o bell ffordd. Efallai y llwyddith Nerys i hudo'r stori allan ohono. Mae hi'n llawer gwell ditectif na fo lle mae Osh yn y cwestiwn. Rhyw feddyliau felly sy'n suo Liam i drwmgwsg. Mae'n rhaid ei fod o wedi breuddwydio am yr holl bobol 'ma mewn HD ar sgrin fatha pictiwrs Llandudno, oherwydd pan deimla wich y larwm yn sgriwdreifio trwy'i glust dde'n llawer rhy fuan, mae o'n grediniol ei fod o wedi deffro hefo Siw wrth ei ochr yn lle Nerys yn gweiddi arno i godi. Jîsys. Penderfyna gymryd cawod boethach a hirach i llnau'r holl luniau o'i ben, a cholli deng munud o'i fore cynnar o ganlyniad.

Erbyn iddo fynd i lawr i'r gegin, mae'r radio wedi'i droi i'r entrychion yn ogystal.

"Arglwydd, genod! Dach chi cyn waethad â'ch hen nain ers talwm. Mi fydda telifision honno'n ddigon uchel i bobol fedru'i chlwad hi yn y plwy nesa."

Maen nhw'n cymryd y pìs. Nid o'u nain, ond ohono fo. God, Dad, ti'n hen ffash. Dydi neb yn deud 'telifision' rŵan, sti. Nac yn deud 'plwy' chwaith. Wedi bod yn darllen Kate Roberts mae o! Sgrechian fatha dwy dylluan. Ia, ha blydi ha. Gofyn i rywun siarad Cymraeg call o gwmpas y lle, yn does? A be' uffar di'r twrw sy ar y weiarles 'ma ...? Weiarles! Ti'n *priceless*, Dad. Ti mor retro ti'n actiwali cweit cŵl! Iesu Dduw, pwy sy'n dysgu Cymraeg i'r rhain? Mae o'n mynd i ofyn, ond daw Ner o rywle i droi'r foliwm i lawr ar y radio, ac, o ganlyniad, ar y gegin ei hun.

"Wedi ecseitio maen nhw. Edrach ymlaen at gìg Doctor Coch ar ôl y rali ddydd Sadwrn."

Rŵan mae o'n gwrando.

"Y rhain ydi Doctor Coch felly?" Dydyn nhw ddim yn swnio'n rhy ddiawledig, chwarae teg, hefo'r radio ar foliwm rhesymol.

"Mae'n well gin i'r caneuon cynnar fatha hon," medda Erin. "Y riffs gitâr."

Cytuna Efa drwy gegiad o dost: "Mi roedd yna sŵn gwahanol ar ambell i gân pan oedd Ned Singh yn chwara hefo nhw."

A rŵan mae o'n gwrando go iawn. Pam bod yr enw'n canu cloch? Siŵr Dduw. Singh oedd cyfenw'r boi a riportiodd y band yn sbreio paent ar wal Wern Isa'.

"Dach chi'n nabod y Ned 'ma, felly?"

Erin: "Gwbod amdano fo, de. Oddo'n arfar mynd allan hefo Cat Llywarch. Hi sy'n canu."

Efa: "Mi roedd pawb yn wel jel ar y pryd. Ma' Ned yn bêb!"

Cuddia Nerys ei gwên tu ôl i dudalennau'r *Herald.*

"Dach chi ddim yn digwydd gwybod os oes gynno fo berthyn, brawd neu gefndar neu rywun, o'r enw Nadhir Singh, ma' siŵr?"

Y ddwy'n sbio ar ei gilydd, yn penderfynu trwy edrychiad eu bod nhw wedi tynnu digon ar goes eu tad am un bore.

"Dad," medda Erin yn garedig – o mai god, roedd ei thad yn rhy glyfar weithiau, mor glyfar nes bod o'n medru ymddangos yn ddigon dwl, bechod – "yr un boi ydyn nhw. Ned *ydi* Nadhir Singh."

OSH

Roedd o wedi colli cysylltiad hefo Dafydd Singh ymhell cyn iddo gymryd y job ym Manceinion, a sylweddola rŵan mai gwneuthuriad Siw oedd hynny. Roedd dod rhyngddo a'i deulu a'i ffrindiau'n gelfyddyd ganddi. Camgymerodd ei hawydd i'w gadw iddi hi'i hun fel datganiad o gariad pur yn hytrach na'i weld am yr hyn ydoedd – ymgais arall i'w reoli a'i danseilio. Edrycha'n ôl ar y boi ydoedd bryd hynny heb ddirnad sut y bu iddo ildio'i hunaniaeth mor rhad. Roedd cael mynd cyn belled â Manceinion i droi dalen lân yn cynnig rhyddid a oedd bron yn afradus iddo. I'w waith roedd ei gyfrifoldeb bellach, ac roedd hynny wedyn yn gyfle euraid iddo wneud pentwr o arian i'w wario arno fo'i hun. Doedd arno ddim angen caniatâd neb bellach. Dewisodd fo'i hun dros bawb arall. Secs heb y strings. Neb i dorri'i galon o. Pŷrcs y bywyd sengl. Breintiau'r hunanol rai. Y bobol hardd, hyderus. Yr holl rinweddau a welsai yn Fiona.

Nid bod Fiona'n sengl. Jyst hoffi ymddwyn felly roedd hi. Gwraig Desmond Langley, Cruella de Vil bwrdd cyfarwyddwyr LangleyTec, ei thin mewn Armani, ei thits mewn Chanel. A les Janet Reger yn glyd o dan y cyfan. Coch ar ddydd Llun. Daeth Osh i ymgyfarwyddo â hynny o brofiad. Roedd yna rywbeth meddwol yn ei hannibyniaeth. Y ffaith mai cariad mwyaf Fiona oedd hi'i hun. Roedd hynny'n ei gwneud hi'n saff, megis rhybudd ar draws ei thalcen: paid â bod yn ddigon gwirion i syrthio amdana i, o achos ddewisa i byth mohonot ti tu allan i'r stafell wely. Ac efallai na ddewisai hi mohono drannoeth chwaith. Fe'i cadwai ar flaenau'i draed, yn berwi o adrenalin. Roedd o'n mynd yn chwil ar yr ansicrwydd, y cyffro, y lipstic coch a adawai hi'n gusanau o dan ei ddillad.

Ac yna, un diwrnod fe wnaeth y camgymeriad o fynnu rhywbeth mwy, syrpréis o benwythnos i ddau ym Mharis y bu'n rhaid iddo'i ganslo'r funud ola pan ddiffoddodd Fiona'r sêr yn ei lygaid hefo'r geiriau: *But darling, I'm married! Whatever were you thinking?* Dywedodd hynny'n chwerthinog, goch fel petai hi'n ceryddu hogyn ysgol am ddwyn teisen. Dyna'i rybudd o. Roedd o'n trio'i fowldio'i hun i fod yn berson fatha hi, rhywun a allai gadw'i deimladau mewn bocs a'u hestyn pan oedd eu hangen fel dewis pa fodrwy i'w gwisgo'r diwrnod hwnnw. Ond onid hunan-dwyll oedd peth felly? Am yr eildro yn ei fywyd, roedd o'n dechrau colli nabod arno'i hun wrth drio cogio'i fod o'n rhywun arall. Yn dechrau syrthio, ar ei waetha, am rywun na fyddai hi byth yn ei werthfawrogi. Ac efallai mai dyna pam ei fod o yma heno, dan ddistiau isel y Black Swan, yn cael peint hefo Daf Singh.

Mae hi'n glyd yma. Yn dywyll a hen ffasiwn. Dyna mae Osh yn ei hoffi gymaint am y lle: y ffaith ei fod o wedi rhewi mewn amser yn gwbwl ddigywilydd, yn ei groesawu'n ôl cyn rhwydded â phetai o erioed wedi bod i ffwrdd – y mab afradlon yn dychwelyd at ei beint euraid. Fydd hi ddim mor hawdd cael bwrdd yma nos fory. Na chael troed i mewn trwy'r drws, petai hi'n dod i hynny. Edrycha ymlaen at y rali, at glymu baner Owain Glyndŵr o gwmpas ei sgwydda, ac ymdrochi'n llythrennol mewn môr o Gymreictod unwaith yn rhagor.

"Caws a nionyn?"

Mae Daf yn fwy o Gymro Indiaidd nag o Indiad Cymraeg. Cafodd ei eni a'i fagu yma wedi i'w rieni – doctoriaid llygaid – fudo o Delhi yn y chwedegau. Hyd heddiw, mae enwau Mr a Mrs Singh yn chwedlonol ym myd llawdriniaeth cataracts ysbytai gogledd Cymru. Dydi hi fawr o syndod felly bod Daf ei hun yn optegydd uchel ei barch yn y dre 'ma ers blynyddoedd. Er i'w rieni lynu at draddodiad y teulu a'i fedyddio'n Davinder, buan iawn y trodd hynny'n Dafydd ar enau pawb. Gwneud sens, yn doedd? Tu ôl i'r haenen o barchusrwydd roedd ei alwedigaeth yn ei fynnu ganddo, roedd o'n siarad Cofi ac yn rhegi fel cath hefo'i gyfoedion i gyd, a'r rheiny, wrth gwrs, yn cynnwys Aled O'Shea. Wedi iddo briodi merch leol o'r enw Eira Tomos – roedden nhw'n gariadon ers eu dyddiau ysgol – aeth ei ddau blentyn hynaf, Nadhir ac Amal, drwy'r un broses ag yntau pan gymreigiwyd eu henwau bedydd i Ned a Mali, a hynny'n dod cyn rhwydded ag anadlu iddyn nhwtha ac i bawb o'u cydnabod.

"Pan ddaeth Prysor wedyn yn din y nyth, mi ddywedodd Eira: sod it!" medda Daf drwy'i wydryn peint. "Waeth i ni roi enw Cymraeg iddo fo o'r dechra ddim, o achos mai Cymro fydd o, de, fatha'r gweddill ohonan ni?"

Mae Osh yn gwenu wrth ddychmygu truth Eira. Prysor Singh. Cracar o enw a fyddai'n gweddu llawn cystal i ddoctor ag i bêl-droediwr. Cofia'i fam yn un barod iawn i leisio'i barn pan oedd hi'n ferch ysgol, yn wahanol iawn i Lliwen, ei chwaer, a oedd ddwy flynedd yn hŷn ac yn yr un dosbarth â Daf ac yntau. Er bod ganddi fwy yn ei phen nag oedd ym mhennau pawb arall hefo'i gilydd, roedd hi'n oriog, a bron yn surbwch o dawedog. Brên heb wên, dyna Lliwen.

"Ac mae Lliw mor ddi-wên ag y buo hi erioed," medda Daf wedyn, fel pe bai o newydd ddarllen ei feddwl.

Mae'r ddawn honno gan Daf o hyd, o ddarllen wynebau, rhagdybio be' ddaw nesa. Roedd hi'n gam naturiol iddo felly, dewis galwedigaeth oedd yn mynnu'i fod o'n syllu'n ddwfn i lygaid pobol. Dafydd Singh, y darllenydd eneidiau. Dyna'r cymhwyster a ddylai fod yn dilyn ei enw. Pan oedd o'n hogyn ysgol, roedd o'n arbenigwr ar sut i weindio pobol, yn gwybod pa fotymau i'w gwthio, a dyna'n union a wnaethai hefo Lliwen o'r eiliad y trodd hi arno am dalfyrru'i henw yn y lle anghywir:

"Paid â 'ngalw fi'n 'Lliw', y drong! Os ti am ei gwtogi o, 'Lli' ydi o, ocê? Lli Wen. Ond tasa hi'n mynd i hynny, paid â 'ngalw fi'n ddim byd, jyst dos i rwla i dyfu i fyny, wnei di?"

Cofia Osh y llith hwnnw hyd heddiw, y llygaid llwydion llawn dirmyg arddegol yn mudferwi tu ôl i'w sbectol. Freuddwydiodd hi ddim yn deuai'r 'drong' anaeddfed hwnnw'n frawd-yng-nghyfraith iddi rhyw ddiwrnod. Ac mae o'n dal i'w galw hi'n 'Lliw'. Er ei gwallt tywyll a'i chroen perlog-wyn, doedd hi ddim mor drawiadol ag Eira, nac yn fflyrt, fel ei chwaer; roedd rhywbeth dyfnach yn perthyn iddi – brenhines yr iâ, a'i chlyfrwch yn ei gosod ar wahân. Disgleiriodd mewn Maths a Phys, â'i chanlyniadau lefel A yn chwipio tinau pawb.

"Be' ydi'i hanes hi erbyn hyn?" Mae o'n fodlon mentro'i bod hi'n ddoctor mewn rhywbeth neu'i gilydd.

"Mwy o nyrs nag o ddoctor erbyn hyn." Sylla Daf rŵan i fyw llygad ei beint. "Ond nid pobol. Anifeiliaid. Gweithio'n lle Defis Ffariar ers blynyddoedd."

"Arglwydd, mi fasa Lliwen wedi medru bod yn fet ei hun. Mi roedd hi'n blydi jîniys yn 'rysgol ers talwm ..."

Nid nad oedd nyrsys mewn llefydd ffariar yn glyfar. Ond Iesu, pe bai unrhyw un o'u cyfoedion wedi gallu mynd yn frên syrjon, Lliwen Tomos oedd honno.

"Mi ddaru hi gychwyn cwrs milfeddygaeth. Mynd i Lundain."

"Be' ddigwyddodd?"

"Cael babi ddaru hi."

"Lliwen?" O bawb. Fedar o ddim credu.

"Efo pwy? Rhywun yn y coleg?"

"Wel, dyna sy'n nyts am yr holl beth. Fuo yna erioed sôn ei bod hi hefo neb, ac mi wnaeth hithau wrthod dweud pwy oedd y tad. Ond mi fynnodd gadw Arthur. Rhoi'r gorau'n syth i'w chwrs coleg a dod adra i'w fagu o ar ei phen ei hun. Ma'r hogyn yn gefndar cyfa i'r plant 'cw, yr un oed â Ned, a dydan ni ddim wedi cael dim o hanes ei dad o. Ma' hi wedi bod yn fam dda, cofia. Arthur yn bob dim iddi. Dim ond y ddau ohonyn nhw. A fuo ganddi erioed gariad na phartnar wedyn chwaith. Wel, dim i mi fod yn gwybod, de."

A Daf fasai'r un i fod yn gwybod, a hithau'n chwaer-yng-nghyfraith iddo. Dydi'r stori hon yn synnu dim ar Osh. Un ar wahân fu Lliwen erioed. Annibynnol. Pengaled. Ac yn styrblyd o glyfar. Efallai mai dyna oedd yn gwneud iddi ymddangos yn od. Perthynai rhyw ddyfnder hynod iddi, aeddfedrwydd a weddai i rywun deirgwaith ei hoed. Roedd hi fel pe bai Lliwen wedi cael ei geni'n hen.

"Ti am y rali 'ma fory ta?" Rêl Daf. Un da bob amser am droi'r stori'r munud mae o wedi dechra cael llond bol arni.

Mae yna lot o heip wedi bod am y rali dros annibyniaeth sy'n cael ei chynnal yn y dre, ac mae Nerys wedi hanner ei berswadio i fynd hefo hi a'r genod. Liam yn gweithio. Eto. Pwy fasa'n bod yn gopar? Yn enwedig yn DCI. Yn ôl ei ddyddiadur gwaith, roedd ei frawd yn brysurach nag Arlywydd America.

"Anodd i mi beidio dod, ma' siŵr. Dwi wedi addo i Nerys. Ti'n gwbod fel mae hi. Ein mam ni oll. Ofn fy ngadael i ar fy mhen fy hun rhag ofn i mi roi teth ar y botal wisgi."

Mae Daf yn gweld trwy'r jôc. Gweld ei gyfle. Dydi Osh ddim yn un i ddatgelu llawer. O dan y brafado, mae o'n enaid clwyfus. Un cwestiwn yn ormod yn y lle rong, ac mi gaeith ei galon fel dwrn cybydd.

"Ti wedi dechra cael dy shit at ei gilydd ta, mêt?" Ac mae'r ateb mor nodweddiadol annelwig fel bod Daf yn rhyfeddu at allu'i ffrind i osgoi unrhyw drafodaeth sy'n arwain at ei deimladau. Clasic Aled O'Shea.

"Wel, mi roedd hi'n job i ddechra, ti'n gwbod, cael hyd i'r safle gora ar gyfer y gweithdy beics de, ond ma' petha'n siapio rŵan. Gin i foi da'n gweithio i mi. Nabod Harleys yn well nag y mae o'n nabod ei nain. Mae o'n byw yn ochra Carmel. Dipyn o hipi 'lly. Gneud penffustia defaid fatha hobi. Byw reit hunangynhaliol, dwi'n meddwl. Wariar."

"Be' ydi'i enw fo?"

"Rich T."

"Fatha'r sgedan?"

"Be'?"

"Motsh. Yli, wela i di fory ta os ti'n dod i lawr i'r Maes. Mi lapian ni faner Owain Glyndŵr am sgwydda Lloyd George."

Ac yna mae Daf wedi codi a throi am y drws, yn iach o fain mewn *chinos* golau a siwmper Gant. Dychmyga Osh bod y geiriau *100% Cashmere* ar y label tu mewn iddi. Dillad-optisian-yn-mynd-am-beint. Teimla'n falch drosto. Mae o'n haeddu'i lwyddiant. Boi deallus, da. Mi fasa Daf wedi gallu mynd ymhell. Ond teimla'n saffach yn ei filltir sgwâr. Hogyn du sy'n un o hogia'r dre. Mae o'n perthyn. Yma mae mwy o ots am liw ei blaid nag am liw ei groen. Ac mae Osh yntau'n gwagio diferion olaf ei beint fel petai'n drachtio gweddillion ei orffennol ei hun i'w berfedd er mwyn eu piso allan drachefn.

Er mwyn cael mynd adra.

Er mwyn cael agor can arall.

Er mwyn cael bod ar ei ben ei hun.

I slobio ar y soffa. Teli ar miwt. Feinyl yn troi ar y dec. I feddwl. Anghofio.

Meddwl ac anghofio ar yr un pryd pa mor ffycd-yp ydi'r byd.

Pa mor uffernol o ffycd-yp ydi yntau o hyd.

MONO

Roedd hi'n noson a hanner. A dydw i ddim jyst yn golygu'r gìg ei hun, er ein bod ni wedi chwarae cracar o set. Ni oedd yn hedleinio, ac ar ôl holl gyffro'r rali a bod y stori allan amdanon ni'n cal ein dal gan y cops, roedd y dorf wedi'i weindio. Doedd dim dwywaith nad oedd Gibs wedi cymryd rwbath. A Cat hefyd. Roedd llygaid y ddau'n sgleinio fatha mwclis. Ond roedden nhw yn yr entrychion. Hyd yn oed Gibs yn chwarae'n well nag arfer. Doedd yna ddim arlliw i neb arall o'r tensiwn a fu rhyngddyn nhw drwy'r dydd.

Dwi'n gwybod bod Gibs wedi bod yn genfigennus o Cat o'r cychwyn er ei bod hi'n gariad iddo fo. Dyna pam roedd o'n ei thynnu hi i lawr bob cyfle roedd o'n ei gael. Cuddio'i sbeit dan haenen o byfocio a chymryd arno mai arwydd o'i anwyldeb tuag ati oedd yr holl 'dynnu coes': *Mae hi'n gwbod yn iawn nad ydw i o ddifri, yn dwyt, bêbs?* Ei dillad, ei gwallt. Ei phwysa. *Ti'n siŵr mai Maccy D ti isio eto a'r jîns 'na mor dynn?* Lladd ar ei sbin arbennig hi ar y riffs gitâr. Cawsai'i gnoi gan y ffaith ei bod hi'n rocio'i Fender Precision ail-law fatha Eva Gardner, ac yn ffryntio'r band ar yr un pryd. Gwneud i'r Gibson welwch-chi-fi 'na oedd gynno fo edrach fatha gitâr Mici Mows.

"Eva pwy?" medda fo, pan ddywedais i hynny am Cat. "Ffwc ti'n wbod? Sticia at dy jopstics, Les Dawson."

Chafodd o mo'r laff roedd o'n ei disgwyl chwaith, na hyd yn oed y wên idiot plesio-pawb 'na roedd Arthur Twm yn ei chadw ar gyfer bob dim. Finna'n trio cymryd arna' nad oeddwn i na fy ngradd saith mewn piano yn malio'r un botwm corn faint roedd o'n ei sgwario hi ar hyd y llwyfan hefo'i dri chord a'i jîc.

Roedd yna rwbath ar feddwl Arthur. Doedd o ddim wedi bod yn fo'i hun ers dyddiau. Wel, nid ers noson y peintio, tasa hi'n mynd i hynny. Ond roeddwn i'n eitha siŵr nad oedd ei iselder yn ddim oll i'w wneud â'r gweithredu, na'r ffaith ein bod ni wedi cael copsan. Roedd hynny i gyd wedi bod yn bluen yn ein hetiau ni i gyd, codi strît cred y band fel na fu erioed y fath beth yn ein hanes. Na, nid dyna oedd yn ei boeni. Fu huodledd erioed yn un o'i gryfderau, ond er ei natur dawedog roedd ganddo un o'r wynebau hynny sy'n siarad. Cyfleai'i feddyliau trwy gyfres o stumiau ac edrychiadau, fel hen labrador a oedd wedi esblygu i fod yn hanner dynol yn y ffordd yr oedd o'n cyfathrebu hefo'i berchnogion. Nid ar ei lawes roedd calon Arthur, ond yn ei osgo, y tro yn ei wefus, y golau yn ei lygaid.

Cysgodion oedd yn ei lygaid o bellach. Roedd rhyw felan anghyffredin wedi treiddio o dan ei groen fel na fedra fo mo'i hysgwyd hi. Doedd hi ddim yn amlwg. Dydi peth felly ddim, nac'di, mewn person fel Arthur Twm. Mae iselder sy'n byw hefo chdi, yn byw ynot ti, yn gwneud yr un pethau ag rwyt ti'n eu gwneud, yn cymryd cawod hefo chdi, yn byta dy jips di – wel, mae o'n gynnil, dydi? Yn araf ei gam. Mae o'n taro dan y belt pan fydd hi wedi mynd yn rhy hwyr i'w stopio, fatha tamprwydd mewn nodau piano.

Roeddan ni newydd orffen y 'sownd tsiec'. Mi ddiflannodd Arthur Twm i rywle wedyn fatha'r stêm oddi ar banad. Cefais hyd iddo ar stepan y drws cefn yn smocio rôli. Doedd Arthur byth yn smocio.

"Arth? Iawn, mêt?"

Cododd ei aeliau heb symud ei ben. Gwneud ceg-twll-din-iâr. Y neges yn glir. Ffyc off, sgin i'm mynadd egluro. Mi ddaru rwbath fy hoelio fi i'r llawr. Deth wish. Yn fy nghymell i ddal arno. Doedd o mo'r un boi a aeth â fi i nôl y car y diwrnod o'r blaen. Cawsai'i ddyddiau i-fyny-ac-i-lawr fel y gweddill ohonon ni, ac oedd, roedd yna rwbath yn ddwys ynddo ar brydiau, ond roedd heddiw'n wahanol.

"Ma' rwbath yn dy gnoi di."

"Pam ti'n deud hynny?"

Arglwydd, risýlt. Pedwar gair.

"Ti'n smocio."

Gwnaeth yr hyn fasai'r labrador hwnnw'n ei wneud. Dal fy llygaid i am eiliadau hir. Fy mesur i. Asesu'r risg. Pasiodd ei smôc i mi.

"Shit adra. Ti'n gwbod fel mae hi."

Oeddwn, lle'r oedd fy adra i dan sylw. Rôn i'n cael shit gan yr hen ddyn rhyw ben o bob dydd. Ond Arthur a'i fam? Roedden nhw fel un, dim ond y nhw ill dau. Byth sôn am air croes rhyngddyn nhw. Fu yno erioed olwg o dad. A ddaru neb ohonan ni erioed holi. Doedd o ddim yn big dîl. Rôn i'n nabod mwy o bobol hefo un rhiant nag oeddwn i o deuluoedd hefo dau ohonyn nhw beth bynnag. Ac roedd Lliwen yn sownd. Hogan iawn. Wedi magu'i mab ar ei phen ei hun. Gwneud ei gorau iddo. Dillad desant. Drym cit. Bocs bwyd bob dydd. Arthur yn blydi mêd. Doedd ei fam o ddim ar gyflog brên syrjon, ond bu'n gweithio ym milfeddygfa Cae Gwyn hefo Defis Ffariar ers i mi fod yn cofio. Hi oedd yno pan es i hefo Mam i gofrestru Jess. Pan oedd petha'n ocê, a finna hefo mam oedd yn byw adra ac yn gwneud petha normal, ciwt fel prynu cwningen i'w hogyn bach. Yr eironi oedd bod Jess y gwningen wedi bod acw'n hirach na Mam wedyn.

Ond sôn am fam Arthur Twm dwi rŵan. Stedi. Dim ffŷs. Fedrwn i ddim dychmygu beth allai fod wedi digwydd a oedd yn ddigon uffernol i wthio pen Arthur mor ddwfn i'w blu. Ac o'i nabod o, doeddwn i ddim yn mynd i gael y manylion chwaith heb fygwth tynnu gwinadd ei draed o hefo pinsiars. Y gorau a fedrwn i ei gynnig iddo dan yr amgylchiadau oedd:

"Ti'n gwbod lle'r ydw i os ti isio mynd am beint rhyw dro. Mond chdi a fi 'lly."

Ymatebodd hefo rhyw hanner amnaid, fatha'r noding dogs di-chwaeth rheiny a fyddai ar ddashbords ceir ers talwm a'u gyddfa nhw'n mynd yn styc ar ôl i chdi fynd dros sbid bymp. Cau 'ngheg i hefo ystum a allai fod wedi golygu 'ydw' neu 'grêt' neu 'diolch i ti, mêt' i unrhyw un arall. Cymrodd y dracht ola o'i stwmp a'i sathru fel cocrotsien. Pan oedd Arthur Twm isio llonydd y dyddiau hyn doedd o ddim angen geiriau. Ac roedd o wedi ei hamseru hi rŵan fel na fyddai'n rhaid iddo ynganu'r un gair arall o'r eiliad honno tan ddiwedd y set.

Roedd hi fel pe bai'r pedwar ohonon ni'n cloi'n bywydau-bob-dydd mewn bocs o'r munud roedden ni'n cyrraedd y llwyfan. Yn dod yn bobol eraill. Yn rwbath mwy na ni'n hunain. Yr heip a'r cyffro'n cymryd drosodd. Collodd pob wyneb o'n blaenau ni ei hunaniaeth wrth i'r dorf doddi'n un creadur mawr, yn llgada i gyd fel cynffon paun. Am yr awran honno roedden ni'n fflio, ac am yr awran ganlynol roedden ni'n dal i drio chwilio am rywle i fedru glanio. Hwnnw oedd y *buzz*. Y methu dod i lawr yn ôl. Y peth oedd yn rhoi hefo un llaw, ac yn dwyn hefo'r llall. Does yna ddim gwacter cweit mor wag â hwnnw sydd mewn neuadd ar ôl gìg, y llawr lle bu'r dawnsio'n fôr o staeniau cwrw a gwydrau plastig. A dim ond y ni'n pedwar yn dal i sefyll, y ffodusion wedi'r gad, yn pacio'r gêr a chario'r amps trwy'r cefn heibio'r wîli bins ac allan i'r nos.

Mi ddaru ni i gyd ei sbydu hi'n o fuan wedyn, Arthur Twm a fi'n mynd ein ffyrdd gwahanol ein hunain a gadael Cat a Gibs iddi. Roedd y sglein yn dechrau gwisgo oddi arnyn nhw bellach, Cat yn bwdlyd a rhyw hen fflachiadau pigog yn tasgu oddi ar Gibs, yr osgo pisd-off-efo-pawb fyddai ganddo ar ôl i'r holl sylw dawelu, fatha ci brathog yn ysgwyd ei gôt ar ôl ffeit. Dim ond na fu Gibs ddim mewn ffeit – ar wahân i'r un barhaus a oedd ganddo hefo fo'i hun. Achos fedra rhywun fatha fo, a gawsai gymaint o bleser o fod yn fastad hefo pawb, ddim bod yn hapus yn ei groen ei hun. No wê. Mi fasa'r holl sbeitio roedd Gibs yn amlwg yn bwydo oddi arno fel cnonyn ar garcas yn ormod o ymdrech i unrhyw un a chanddo'r gronyn lleiaf o hunan-barch. Ond roedd o'n amlwg yn ei seicio'i hun i fyny ar gyfer ffrae hefo Cat. Roedd hithau'n cael ei thynnu tuag at y tensiwn oedd ynddo, ei llygaid arno fel rhai cath, yn llonydd a heriol. Doedd arna i ddim isio bod o'u cwmpas nhw pan oedden nhw felly. Roedd y tyndra rhywiol rhyngddyn nhw'n rhy anghyfforddus i fod yn dyst iddo.

Pan gyrhaeddais i adra roedd yr hen ddyn yn ei wely. Yn ôl ei arfer, roedd o wedi gadael golau bach ymlaen yn y cyntedd, a'r bylb a oedd eisoes yn rhy wan i'r lamp newydd ddechra ar ei ddawns angau fel cannwyll mewn gwylnos. Downar. Roedd y roc star yn fy nghrys i'n haeddu tân gwyllt a bràs band. Yn fy mhen i, doedd y perfformiad ddim drosodd.

Triais fy rhoi fy hun i gysgu drwy sodro clustffonau dros fy mhen. Dyna sut na sylwais yn syth ar sgrin fy ffôn yn fflachio fatha uffar, neges ar ôl neges, fel tasa ysbryd lloerig wedi'i feddiannu. Cat. Roedd hi bron yn dri o'r gloch y bore. Llwyth o decsts a finna heb sylwi arnyn nhw. Wel, pam faswn i, de? Pam fasa Cat yn fy nhecstio i, beth bynnag, a hithau hefo Gibs? Dyna pryd ddechreuais i banicio. Rhaid bod y mochyn yna wedi mynd a'i gadael hi ar ei phen ei hun eto. Tipical. Mi ddylwn i fod wedi rhagweld hyn heno. Llamodd rhyw ran fach o 'nghalon i er gwaetha holl shit y sefyllfa. Achos mai ata i y trodd hi pan oedd arni angen rhywun yn gefn. Nid Arthur Twm. Nid un o'r genod. Fi. Gwyddai fy mod i'n ei haddoli hi. Mi fasa hi wedi gorfod bod yn ddall ac yn fyddar i beidio sylweddoli. O edrych yn ôl, mae'n anodd deall nad oedd Gibs ei hun wedi sylwi ar y crysh diawledig a oedd gen i arni. Peth felly'n anodd i'w guddio, dydi? Ond ddaru o ddim, mae'n rhaid, o achos ei fod o fel pob narc hunanol – ei ben o'r golwg i fyny 'i din ei hun.

Cat a'i syniadau breuddwydiol ddywedodd wrtha i unwaith: os wyt ti isio rwbath ddigon, dim ond ei ddychmygu o'n digwydd sydd raid i ti. Sianelu grym y bydysawd. Roedden ni wedi yfed peint neu ddau ar y pryd, ond dwi'n dal i gofio'r ffordd yr edrychodd hi arna i wrth ddweud. Fel petai hi'n gwerthfawrogi'r ffaith bod rhywun yn ei chymryd o ddifri am unwaith. Yn trio tiwnio i mewn iddi, yn parchu'i chredoau, er mor cwyrci roedden nhw. Petai Cat ddim ond yn gwybod sut hedyn roedd hi wedi'i blannu yn fy mhen gwirion i. Rhoddodd lygedyn o obaith i mi gydio ynddo. Efallai'i bod hi wedi cael gormod o seidar i sylweddoli bryd hynny mai'r un peth roeddwn i'n ei ddeisyfu'n fwy na dim, yn yr holl fydysawd 'ma roedd hi'n telynegu yn ei gylch, oedd y hi.

Roeddwn i wedi sylwi'n ddiweddar ei bod hi wedi dechrau ymddwyn yn anwylach tuag ata i. Yn closio mwy. Ambell edrychiad. Cyffwrdd fy llaw i'n ddamweiniol a dal fy llygaid wedyn. Ti'n gweld yr hyn ti isio'i weld hefyd, yn dwyt? Dwi'n gwybod hynny. Siŵr Dduw fy mod i. Ond wan-off go iawn oedd y pellter oer 'na yng nghefn car y cops. Garantîd. Achos wedi dychryn roedd hi bryd hynny. Rôn i'n gweddïo'n wirion rŵan bod yna rwbath yn tyfu rhyngon ni. Yn byw drama'n stori garu ni yn fy mhen, a fy hoff olygfa oedd Gibs yn mynd yn mental am ei bod hi'n ei ddympio fo i fynd hefo fi.

Rôn i wedi bod yn breuddwydio am yn hir am yr eiliad yma. Yr adeg pan oedd Cat yn sylweddoli mai hefo fi roedd hi i fod. Ei bod hi'n gwbod mai fi fasa'r un i'w thrin hi fel brenhines. Nid bod hynny wedi cweit digwydd eto, ond dim ond mater o amser oedd hi. Disgwyl am y ffrae i goroni pob un arall, y ffrae a fyddai'n gwahanu Cat a Gibs unwaith ac am byth. Rôn i'n gwbod y basa hynny'n digwydd, yn hwyr neu'n hwyrach. Pan wyt ti'n astudio pobol yn fanwl, yn gwylio'u symudiadau nhw, gwrando ar eu sgwrs nhw, adnabod eu hymddygiad nhw fel bod eu teimladau nhw mor amlwg i ti â thecst ar sgrin, rwyt ti'n medru rhagweld pethau'n gliriach na phe bai gen ti grystal bôl. Fasa Cat a Gibs byth yn para. Roedd hi'n hen bryd iddi gael hyd i'r boi fyddai'n edrych ar ei hôl hi go iawn, nid rhyw bôsars fatha Gibs a Ned Singh. A rŵan dyma hi – diolch i Dduw, neu'r bydysawd, neu *karma*, neu be' bynnag ffwc sy'n digwydd i fyny'n fanna – mam pob ffrae. Codwch y llen. Ciw Mono.

Rôn i wedi syrthio amdani go iawn ers y noson yr edrychais arni'n dryloyw i gyd yng ngolau lamp y stryd, tylwythen deg mewn denim. Noson y peintio. Bob dydd ers y miri yn y cop siop, mi fûm i'n breuddwydio amdani. A rŵan roedd gen i gyfle perffaith i sicrhau bod Cat yn glyd a saff. Cyfle iddi fy ngwerthfawrogi i. Iddi weld y gallwn i fod yn fwy na ffrind. Cyfle i'w chael o grafangau Gibs unwaith ac am byth. *Mono, lle wti?* Ella bod y darnau bach o gariad roeddwn i wedi eu celcio ar ei chyfer ers amser maith yn barod i ddisgyn i'w lle. Cefais hyd i'r darn pwysica heno. Roedd Cat fy angen i. Angen. Isio. Geiriau bron cystal â chariad.

Ond roeddwn i wedi ymgolli cymaint yn fy ffantasi o fod yn farchog mewn Ford Focus deg oed (faswn i'n ocê i ddreifio erbyn hyn?) a oedd yn mynd i ennill calon y dywysoges o'r diwedd fel na wnes i ddim tsiecio fy ffôn yn iawn ar y darlleniad cynta. Oedd, roedd hi'n dri o'r gloch y bore. Rŵan. Ond erbyn gweld, roedd hi wedi anfon y negeseuon dros ddwyawr yn ôl. Lle'r oedd hi erbyn hyn ta? Canodd y ffôn. Ond nid y hi oedd yna. Ei neges llais hi. *Voicemail – you have one new message.* Roedd hi wedi fy ffonio hefyd felly, ond oherwydd y signal cachu dim ond rŵan roedd o'n dod drwodd.

Roedd hi'n piso crio. Yn crio gymaint fel bod rhaid i mi chwarae'r neges deirgwaith. Er mwyn i'r geiriau fod yn wahanol. Rhag ofn na wnes i ddim clywed yn iawn y tro cynta. Eto ac eto. Ond yr un neges oedd hi bob tro: *Nesh i'm trio, Mono. Wir yr. O god ... nesh i'm trio ...* A'r ffôn yn diffodd yn sydyn, fel petai o wedi disgyn i'r llawr. Neu bod rhywun wedi'i gipio oddi arni. Mi driais i ei ffonio hi'n ôl, ond aeth o'n syth i'r peiriant ateb. Wrth i mi chwilio dan y gwely am fy sgidia, sylweddolais bod fy mhen i'n dal i droi. A chofio wedyn na fedrwn i ddim dreifio i nôl Cat na diawl o neb arall, nid yn unig oherwydd fod cwrw'r noson cynt yn dal i bwnio 'mhenglog i ond hefyd am nad oedd y car gen i, nac oedd? Penderfynais ei adael o lle'r oedd o wrth ddrws cefn y clwb ar ôl sgrownjo drop-off gan Ted Tacsi a oedd yn mynd â chriw o genod am Fangor, a'i cherdded hi'r hanner milltir olaf am adra. Erbyn hynny rôn i wedi dechra sobri digon i ddifaru na faswn i wedi mynd hefo'r lleill am Fangor wedi'r cwbwl, a darfod y noson yn iawn.

Ond roedd hi'n rhy hwyr rŵan a 'nhraed i'n brifo, felly mi gysurais fy hun drwy fachu cwpwl o ganiau'r hen ddyn o ddrws y ffrij a'i heglu hi am y llofft. Noson mint yn diweddu fatha shait, a doedd gen i neb i'w feio am hynny heblaw fi fy hun. Taswn i wedi aros o gwmpas yn lle'i jibio hi, mi faswn i wedi medru bod o gwmpas i Cat pan oedd arni fy angen i.

Doedd yna fawr o bwynt pendroni erbyn hynny ynglŷn â negeseuon disynnwyr Cat dros ddwyawr yn ôl, gan resymu hefo fi fy hun mai Cat yn ei diod – a dyn a wyddai be' arall – oedd hon. Mi fasa pethau'n gliriach yng ngolau dydd, gan gynnwys fy mhen innau. Wedi'r cyfan, doedd gen i ddim na char na'r cyflwr meddwl roedd ei angen i yrru un, p'run bynnag. Glynais at fy mwriad gwreiddiol o godi'n gynnar a defnyddio'r beic o'r sied i fynd yn fy ôl i gasglu'r Focus. Efallai'i fod o'n dun sardîns ar olwynion yn ôl Stîf yn y garej, ond roedd o'n handi uffernol fel hatshbac ac yn gymaint o sgriffiadau fel nad oedd tolc neu ddau'n ychwanegol yn mynd i wneud llawer o wahaniaeth. Dyna pam mai fi, fel arfer, oedd yn cael fy landio hefo cario gêr adra ar ddiwedd gigs: amps, gitârs, fy mhiano i (ond nid drym cit Arthur Twm chwaith – mi fasa fo'n lapio'r rheiny mewn papur sidan tasa fo'n cael), a bore fory, beic. Efallai mai gan Gibs roedd y car fflash, ond mae yna lot i'w ddweud wrth hen jalopi. Does ar rywun byth ofn hitio hwnnw.

Cysgais o'r diwedd yn sŵn Sam Fender yn chwyddo yn fy nghlustffonau, a meddwl am y gìg, a'r dorf, a'r strôbs fatha mellt pinc yng ngwallt Cat.

A breuddwydio am fynd hefo Taid yn yr hen bic-yp coch, Nans yr ast ddefaid yn y tu blaen rhyngon ni, a fynta hefo smôc yn sownd yn ei wefus yn rifyrsio nes ei fod o'n sownd yn y giât. Y teiars yn chwalu mwd a Nans yn mynd yn nyts. Roedd yn digwydd bob tro.

"Dyna hi wedi mynd cyn bellad ag eith hi, washi," medda fo. "Weithia does 'na ddim byd fedri di'i wneud, heblaw bagio nes clywi di glec."

ANJI

Diolch i Dduw mai bore Llun ydi hi. Aeth y rali, a chwmni Marian, â'i meddwl dros y penwythnos, ond roedd ddoe'n ddiwrnod hel meddyliau. Damia'r rheiny. Mae boreau Sul yn anodd o hyd. Adegau i gariadon ydyn nhw, pan fo'r byd yn cael ei gau allan hefo'r haul a'r cusanu'n cychwyn yn gynnar. Does yna neb arall yn ddigon gwirion i ddeffro'n blygeiniol ar fore Sul, oni bai fod ganddyn nhw fabis neu gŵn. Ond ddoe oedd hynny a heddiw ydi heddiw. Does ganddi ddim ci na babi, dim ond job i fynd iddi hi, ac mae'n hen bryd iddi symud ei thin.

Mae'r rwtîn wedi cychwyn, ac mae hi'n nacyrd yn barod. O achos bod crio'n beth blinedig. Newydd orffen crio mae hi, fel petai hi newydd orffen hwfro. Mae hynny'n rhywbeth sydd bron yn fecanyddol erbyn hyn, yn rhan o'i hamserlen foreol ar ôl ei choffi cyntaf: panad, hiraethu am Dylan, crio, llnau'i danedd, a mynd allan i redeg wedyn nes bod ei hanadliadau fel cyllyll yn ei brest. Mae lluniau diweddar o'r dyn a dorrodd ei chalon i'w cael – i'r neb a falia ffeuen – ar Ffêsbwc ei wraig, ar ei ben ei hun, neu â'i fraich am ganol y wraig honno, y ddau'n sownd yn ei gilydd a'u gwenau'n lletach na giatiau jêl. Bastad, medda hi. Yn uchel. Yn uwch. Yn trio'i deimlo fo. Ond dim ond gair ydi o, gwên arall; ia, gwên ddanheddog o air, sŵn nad oes neb yno i'w glywed ond y hi, ac mae'r llafariaid hwythau'n llydan, yn dylyfu gên am eu bod nhwtha wedi laru arni hefyd. Sbia, medda'r lluniau. Sbia, Anj. Dyma'i fywyd o. Dyma mae o wedi'i ddewis. Pam rwyt ti'n ei chael hi mor anodd i'w gasáu o?

Mae cyrraedd ei gwaith yn teimlo bron fel cyrraedd adra. Cynigia hynafiaeth yr adeilad ddiogelwch iddi unwaith eto, fel camu dros riniog eilfam o hen fodryb groesawus sy'n caniatáu iddi wneud ei phanad ei hun yn union fel mae hi'n ei lecio fo. Wel, hynny yw, pan nad yw Eic yn mynnu'i gwneud hi ac yn stiwio'r bag te'n rhy hir yn y mỳg. A does yma ddim llestri te bach tenau, blodeuog chwaith, dim ond mygiau bildar yn sloganau i gyd. Dim *finesse*. Maen nhw'n yfed o'r gwpan Jingl Ffwcin Bels! yng nghanol mis Gorffennaf. Dydi hi ddim yn cofio pryd roedd y tro dwytha iddi gael panad cwpan-a-soser …

"Anj, ma' gin ti fisitor," medda Nicola, yn ei ffonio o'r ddesg flaen yn y cyntedd, ac yn rhwygo'i meddwl oddi ar ramant gorffennol sgidia-dydd-Sul a the brechdan jam, a modrybedd mewn ffrogiau a mwclis yn byw mewn bythynnod hefo lloriau anwastad, lle mae gratiau hefo tanau'n mudlosgi yn eu ceginau drwy'r haf.

Mae hi'n gwneud hyn o hyd. Ers erioed. Dianc yn ei phen i lefydd ers talwm. Dull o ymdopi. Cyffur y cof. Yn meddalu'r ymylon. Nes bod glanio yn ei hôl yn y presennol fatha disgyn oddi ar gefn beic. Ac am hanner munud gwallgo, mae Angharad yn meddwl tybed ai Osh ydi'r ymwelydd annisgwyl. Meddwl, ynteu ai ei hisymwybod sy'n rheoli, megis mewn breuddwyd? Callia, Angharad. Dydi o'n golygu dim byd i ti. Ac mae hi'n llawer rhy fuan i ti drio anghofio Dyl drwy neidio i'r gwely hefo rhywun arall. Beth bynnag, dydi hi ddim fel petai Osh na'i ego wedi cymryd rhyw lawer o sylw ohoni yn y rali ddydd Sadwrn. Roedd o'n rhy brysur yn fflyrtio ac yn chwerthin hefo merch a edrychai fymryn yn hŷn na fo. Doedd hi ddim yn fain nac yn orffasiynol, nac yn anghyffredin o dlws chwaith o ran hynny. Ond, i fod yn deg, roedd ganddi din fatha Kim Kardashian. Eto i gyd, doedd hi mo'r teip y dychmygodd hi Mad Max yn mynd amdani chwaith, er y gallai weld fod yna ddigon o'i chwmpas i ddenu dyn – neu ddynes – heb ormod o drafferth ...

"Iwan Môn ydi o." Sylweddola fod Nicola'n dal ar y lein. "Roedd o yma hefo ni ar brofiad gwaith pan oedd o yn y Chweched Dosbarth. Ti'n cofio?"

Ydi, wrth gwrs ei bod hi'n cofio. Yn enwedig ar ôl ei weld yn y perfformiad y noson o'r blaen. Hogyn pryd tywyll, dipyn yn inténs. Dipyn o sgwennwr hefyd. Tasa fo wedi sticio iddi, a chael y gefnogaeth iawn adra, mi allasai fod wedi'i gwneud hi fel newyddiadurwr. Roedd o'n sgwennu lyrics, medda fo wrthi ar y pryd, i ryw fand roedd o'n chwarae ynddo. Dim ond ymhen rhyw ddwy flynedd wedyn y dechreuodd Doctor Coch ddod i'r amlwg go iawn. Daeth hi ar ei draws drachefn wrth wneud eitem ar y band i'r papur. Meddyliodd bryd hynny nad oedd o'n brolio digon arno'i hun, dim ond gadael i'r gitarydd newydd 'ma oedd wedi ymuno hefo nhw ei stwffio'i hun i'r leimleit. Roedden nhw'n wych yn y gìg nos Sadwrn dwytha. Wedi tynnu'r lle i lawr. Gwna'n siŵr mai dyna'r peth cynta fydd hi'n ei ddweud wrtho.

"Miss Kiely." Heb ddrama'r strôbs a'r sŵn, mae yna swildod ynddo nad yw'n amlwg ar lwyfan. Mae o fel roedd o flynyddoedd yn ôl, yn ei chyfarch fel petai hi'n athrawes, ac yntau'n hogyn ysgol o hyd.

"Mono." Chafodd hi erioed drafferth defnyddio'i flasenw, yn wahanol i sawl oedolyn, gan gynnwys ei fam ei hun. Gwyddai fod hynny wedi'i dynnu'n nes ati o'r cychwyn a pheri iddo ymlacio yn ei chwmni. A sylweddola'n sydyn rŵan ei bod hi'n wirioneddol falch o'i weld. "Sut wyt ti ers oes pys? Roeddech chi'n wych nos Sadwrn, gyda llaw!"

Mae o'n cydnabod y compliment gydag amnaid sydyn, nerfus. Mae o'r un mor ddihyder bron ag ydoedd pan gyfarfyddon nhw gyntaf. Cynigia iddo ddod drwodd i'r swyddfa am banad gan ddisgwyl ar yr un pryd iddo wrthod yn boléit fel y gwnaethai ers talwm oherwydd bod sefyllfaoedd felly'n chwithig ganddo. Ond er ei syndod, cytuna, a'i ddilyn rhwng y byrddau i'r alcof pellaf lle roedd ei desg hi wedi'i gosod gymaint ar wahân i bawb arall nes bod ei llecyn bach personol hi bron cystal â swyddfa breifat. Ei blynyddoedd o brofiad hefo'r *Herald* a'i statws ar y staff yno a enillodd y fraint honno iddi. Yr unig un hefo'i swyddfa'i hun oedd Eic, wrth gwrs – er bod hwnnw'n treulio mwy o amser o flaen y teciall nag o flaen ei ddesg y dyddiau hyn.

"Be' sy'n dod â chdi i'r fan hyn ta, Mono? Meddwl ailafael mewn newyddiaduraeth?"

Nid fod yna ddim byd o'i le ar weithio mewn siop amaethyddol sy'n cyflenwi bwydydd anifeiliaid, ond cred Angharad o hyd y dylai rhywun mor sensitif, a chanddo'r gallu creadigol a welsai hi gan Mono bryd hynny, fod wedi ymestyn ychydig mwy arno'i hun. Mae hi bron iawn â dweud ei bod hi'n dal i gofio'i ddawn sgwennu pan ddaeth o i'w chysgodi ar yr *Herald* ers talwm, ond gwêl ei anesmwythyd wrth dderbyn unrhyw ganmoliaeth, a cheisia'i arbed rhag teimlo mwy o chwithdod drwy sodro mygiad o de o'i flaen.

"Mymryn o lefrith, un siwgwr. Dwi'n dal i gofio, yli."

Mae'n cymryd pum munud arall o hel dail, a sawl llymaid o'r te, cyn iddo ymlacio rhywfaint.

"Doeddwn i ddim isio mynd at yr heddlu, Miss Kiely. Wel, dim yn syth. Rhag ofn fy mod i'n mynd o flaen gofid. Ond erbyn hyn ..."

Dydi hi ddim yn synnu clywed ei Gymraeg glandeg. Roedd ei droadau ymadrodd wedi llonni'i chalon hi bob amser. Roedden nhw'n bethau'r un mor brin ac amheuthun bryd hynny ag ydyn nhw heddiw, meddylia, yn enwedig gan rywun mor ifanc.

"Yr heddlu, Mono?"

"Cat a Gibs – Gari. Maen nhw yn y band. A dwi'n meddwl eu bod nhw ar goll."

"Ar goll? Ers pryd?"

"Does yna ddim golwg ohonyn nhw ers ar ôl y gìg nos Sadwrn. Dydi Cat ddim yn ateb ei ffôn. Dydi'r un o'r ddau'n ateb ar WhatsApp y band, sy'n od, achos 'dan ni bob tro'n siarad ar ôl gìg. Does yna neb wedi gweld car Gibs chwaith. Ac mae hi'n ddydd Llun heddiw," ychwanega'n boenus o ddiangen.

"Ti'm yn meddwl efallai dy fod ti'n gorymateb rhyw fymryn ...?"

Ac mae hi'n difaru gofyn y cwestiwn yn syth. Mae'r olwg ar ei wyneb yn gwneud iddi deimlo fel pe bai hi newydd sathru cynffon cath fach. Dylai treialon ei fywyd ifanc fod wedi caledu mwy arno; mae o'n boenus o orsensitif o hyd. A gŵyr Angharad yn well na neb faint o fendith a melltith ar yr un pryd ydi cael ei dynghedu i ddioddef o'r cyflwr hwnnw. Dydi'r ffaith fod dau gariad yn eu hugeiniau cynnar wedi diflannu i rywle hefo'i gilydd am ddwy noson ddim yn gwarantu'r fath banig, does bosib, meddylia i gychwyn. Ac eto, mae'i greddf am s'nwyro stori'n cicio i mewn bron yn syth: mae Mono'n gwybod mwy nag y mae o'n fodlon ei gyfaddef. Crwydra'i olygon dros y ddesg flêr heb edrych ar ddim byd, a glanio'n ôl ar ei gliniau fel pry ffenest. Sylwa hithau ar ei ddwylo gwynion; mae'r ôl gwaith ar ei fysedd-chwarae-piano'n gwneud iddi deimlo, am ennyd, yn affwysol o drist. Mae arni hi isio dweud: tyrd yn dy ôl, Mono bach, i mi gael dy gymryd dan fy aden eto; rhoi cyfle i ti. Ond yn hytrach, dydi hi'n gwneud dim byd ond edrych i fyw ei lygaid, a gadael i'r saib holi drosti.

"Dwi'n meddwl bod Cat mewn helbul."

'Mewn trwbwl' fasai rhywun arall o'i oed wedi'i ddweud. Mae'i ddewis o air yn dal ar ei hanadl fel atalnod. Enaid clwyfus, hen, sydd wedi cerdded y ddaear o'r blaen ydi Iwan Môn. Mi ddylai o fod mewn gwisg derwydd, â'r Fam Ddaear yn oer dan ei draed noeth. Yn lle hynny mae o'n fictim: rhywun wedi'i eni'n hen a'i lusgo'n anfoddog i'r unfed ganrif ar hugain, yn mygu'i gyfriniaeth dan sgini jîns a chrys chwys hefo ogla bwyd ieir arno.

"Pam rwyt ti'n dweud hynny?"

Mae canhwyllau llygaid Mono'n sgleinio'n ddu, ac mae o wedi gwasgu'i ddwylo'n ddyrnau fel pe bai o'n trio cuddio cerrig ynddyn nhw.

"Mi decstiodd Cat fi ar ôl y gìg. A ffonio. Ond wnes i ddim gweld dim byd nes roedd hi'n rhy hwyr. Doedd ganddi hi ddim signal ar y pryd, mae'n amlwg ..."

Cyn iddi ofyn, mae o'n cynnig ei ffôn iddi, yn ei chymell hefo'i lygaid i wrando ar y neges llais a adawodd Cat: *Nesh i'm trio, Mono. Wir yr. O god ... nesh i'm trio.*

Mae'r geiriau dagreuol wedi newid popeth mewn amrantiad. Nid dau gariad wedi gwneud fflit am noson neu ddwy ydi'r rhain erbyn hyn. O, Mono, Mono. Ti wedi ista ar hwn ers oriau mân bore ddoe. Mae dau o dy fêts di wedi diflannu'n ddisymwth, ac mae gen ti *voicemail* fel hyn. Teimla Angharad fel pe bai'i chalon a'i hymennydd mewn ras wyllt yn erbyn ei gilydd. Gall hwn fod yn fater uffernol o ddifrifol. Mono sy'n iawn. Mae yma reswm i banicio.

Pam felly nad aeth Mono'n syth at yr heddlu?

Pam ddaru o gadw'r cwbwl o dan ei het am oriau?

Cnoi cil.

Stiwio.

Berwi'i ben.

A wedyn dod â'r cyfan ati hi.

"Ffonia nhw rŵan ta, Mono?" A mae o'n sbio'n wirion arni. "Yr heddlu. Mae gen ti wybodaeth. Rhaid i ti ffonio."

"Mi a' i lawr i'r stesion, Miss Kiely. Ar y ffordd i 'ngwaith, ylwch. Haws gen i egluro wyneb yn wyneb ..."

"Mi ddo' i hefo chdi ..."

"Na. Na, wir. Mi fydda i'n iawn."

Ac mae hi'n ei drystio fo. Mono ydi o'n de? Hogyn iawn. Hogyn call. Mae hi'n gadael iddo fynd. Sut mae hi i fod i wybod na fydd o'n cadw at ei air? Na fydd o ddim yn mynd ar gyfyl gorsaf yr heddlu? Na fydd neb yn gwneud dim nes bod tad Catrin Llywarch yn sylweddoli erbyn ben bore drannoeth fod yna rywbeth mawr o'i le.

DCI LIAM O'SHEA

Un o'r anfanteision o fod yn gopar, meddylia Liam, ydi bod ei fêts o'n ffonio'i fobeil o, yn hytrach na deialu rhif y gwasanaethau argyfwng, pan fo rhywbeth mawr yn bod. Mae o'n gallu gweld eu pwynt nhw. Peryg y basa fo'n gwneud yr un peth ei hun pe bai'r esgid ar y droed arall. Wedi'r cwbwl, nid dim ond bobi ar y bît ydi o, naci? Pam malu cachu hefo *What service do you require?* pan fedri di fynd yn syth i'r top dim ond wrth sgrolio am y DCI sydd â'i enw bedydd nesa yn dy *gontacts list* di ar ôl rhif KFC?

"Parch? Hei, be' sy, boi?" Does dim angen ditectif i sylwi'n syth bìn nad galwad gymdeithasol ydi hon. "Cym dy wynt atat, a deud eto'n slo bach, ia?"

Does yna ddim golwg o Catrin, ei ferch, ers y gìg nos Sadwrn. Sioe a hanner oedd honno hefyd, yn ôl y genod. Cat Llywarch yn osym, Dad! Welodd o mo Doctor Coch yn perfformio o achos ei fod o wedi gorfod gweithio dros y penwythnos. Eto. Dy golled di, medda Nerys wrtho. A'r tro hwn, roedd o'n cytuno. Am unwaith, roedd yna rywbeth yn drist o gyhuddgar yn ei hedrychiad hi. Mae'r olwg a oedd yn ei llygaid hi wedi aros hefo fo; mae'i hanniddigrwydd yn pwyso arno, yn ei argyhoeddi'n dawel nad rhywbeth y medran nhw ei ddatrys rhwng y cynfasau fel ers talwm ydi hyn bellach.

Gŵyr Liam nad ydi o'n rhoi digon o amser i'w deulu. I Ner. Ei fod o'n beryglus o agos at fod yn un o'r penna bach hynny sy'n byw i weithio, ac nid y ffordd arall rownd. Mae o'n dwat. Mae ganddo berl o wraig sy'n gefn iddo erioed. Byth yn swnian. Byth yn cwyno. Efallai mai dyna ydi'r broblem. Mi ddylai hi gwyno mwy. Gwneud mistar arno. Ond mae hynny'n annheg. Nid dyna pam y syrthiodd o mewn cariad â hi, naci? Ei chariad meddal, braf a'i denodd ati yn y lle cyntaf. Ei hanwyldeb oedd ei chryfder. Mae pawb yn addoli Ner. A neb yn fwy nag ef ei hun. Drwg Liam ydi'i fod o mewn cariad hefo'i waith hefyd. Does dim rhaid iddo fo fod yno'n goruchwylio popeth bob amser. Mae ganddo ddigon o gyd-weithwyr sy'n ddigon 'tebol, ac yn fwy na pharod yn aml (onid dyna lwybrau pobol tuag at ddyrchafiadau?) i gario rhywfaint o'i faich. Ei wendid pennaf ydi methu rhannu. Methu derbyn ei bregeth ei hun: rydan ni i gyd yn rhan o dîm. Fo ydi'r bòs nad ydi o'n gallu trystio neb i wneud cystal – neu'n well – na fo'i hun. Efallai mai dyna ydi'i ofn mawr o wedi'r cwbwl. Cael rhyw goc oen fengach na fo'n martsio i mewn ac yn cymryd yr awenau y mae o mor gyndyn o'u gollwng.

Ond mi wnaeth o ddeligetio ddydd Sadwrn. Rhoi'i frawd yng ngofal ei wraig a'i ferched. A'i gael ei hun yn eitha cenfigennus pan welodd o gymaint roedden nhw i gyd wedi mwynhau'r rali a'r gìg gyda'r nos. Ond er ei waethaf, mae'r plisman ynddo'n codi i'r wyneb: pe bai o wedi bod yno yn y gìg, efallai y byddai wedi sbotio rhywbeth amheus cyn i bethau fynd i'r pen fel hyn. Mae'i feddwl o'n uno'r dotiau mewn amrantiad: daeth galwad arall i mewn ben bore heddiw'n riportio dau o bobol ifanc heb ddychwelyd i'w cartrefi ar ôl rali dydd Sadwrn.

Fedar o ddim dechrau dychmygu sut byddai o'n teimlo pe bai Erin neu Efa'n mynd ar goll. Mae dyn mawr cadarn o gorff a meddwl fel Parch, rhywun sy'n arfer bod yn angor yn stormydd pawb arall, yn racs rŵan ar ben arall y ffôn. Dydi'i ferch – na'i chariad, gitarydd Doctor Coch – ddim wedi bod adra ers y penwythnos. A hithau bellach yn ddydd Mawrth, mae ar Liam angen gwisgo mwy na dim ond ei het ditectif y tro hwn.

"Liam ... ma' yna ... mae ... rwbath arall ..." Yr anorchfygol Huw Llywarch ers talwm, yr yfwr Snakebites heb chwydu'n biws, yn methu'n glir ag yngan ei eiriau heb fod atal dweud arno. Mae calon Liam yn rhoi tro yn ei frest. "Mi ddoth yna decst gan Catrin ... wel, o ffôn Catrin ..."

"Gest ti decst ganddi?"

"Nid ganddi hi. O'i ffôn hi."

"Gan bwy? Y cariad?"

"Naci ... Catrin. Ond nid y hi oedd hi."

"Be' ti'n feddwl?"

"Rhywun yn cogio bod yn Catrin. Rhywun isio i mi feddwl mai hi oedd hi. A dyna wnes i, i ddechrau. Hanner darllen ei neges hi. Meddwl y byddai hi a Gibs yn eu holau nos Sul. Ond aeth hi'n fore Llun. Yn gyda'r nos. Mi wnes i tsiecio'r tecst. Doedd o ddim yn taro deuddeg, rhywsut. Nid fel'na mae Catrin yn siarad. Pwy bynnag oedd wedi anfon y neges ... wel, doeddan nhw ddim yn sillafu fatha Cat. Ddim yn dweud pethau yn union fel mae hi'n eu dweud nhw ..." Mae hi fel pe bai llais Parch wedi bachu'n sydyn ar weiren bigog; mae'r dyn mawr yn ei ddagrau ac am ennyd caiff Liam yntau drafferth bod mor wrthrychol ag arfer.

"Gwranda, Parch. Cŵl hed, mêt, ocê? Dal arni, dwi ar fy ffor' atat ti."

Dydi o ddim cweit yn cyrraedd drws ei swyddfa cyn i'r ail alwad ddod drwodd i'r ffôn ar ei ddesg.

"Bòs? Ynglŷn â'r ddau ifanc aeth ar goll ar ôl y gìg 'na yn y dre nos Sadwrn. Mae 'na ddefelopment erbyn hyn. Maen nhw wedi ffendio corff ..."

Jîsys. Teimla Liam ei waed yn llifo'n oer. Sut mae o'n mynd i ddweud wrth Parch ...?

"Cariad yr hogan. Yn ei gar. Does 'na'm sôn amdani hi eto."

Dydi o ddim yn gwybod a ddylai anadlu neu beidio.

"Ffyc," medda fo. A wedyn, i dderbynnydd y ffôn: "Yn lle?"

"Yng ngwaelod Llyn Gwyryfon."

CAT

Mae hi'n oer yma. Tywyll. Fatha bedd. Mae agor ei llygaid yn ymdrech, ei hamrannau cyn drymed â'i breichiau, ei choesau, gweddill ei chorff. Dim ond ei meddwl sy'n dechrau symud, yn araf bach. Efallai nad ydi hi ddim wedi'i chladdu wedi'r cwbwl, er ei bod hi'n weddol siŵr erbyn hyn ei bod hi wedi marw. Ond dydi cyrff ddim yn gallu arogli, nac'dyn? Ac mae Cat yn arogli tamprwydd. Ogla mwsoglyd, llaith. Fatha madarch. Mae rhywbeth meddal oddi tani. Efallai mai mewn coedwig mae hi. Efallai'i bod hi'n gorwedd ar wastad ei chefn ar lawr y goedwig yn deffro o drwmgwsg fel Eira Wen. Ond wneith ei chof hi ddim cnesu nes codith y gwlith.

Fedar hi wneud dim.

Dim ond gorwedd.

Dadmer.

A disgwyl.

Mae rhywbeth yn cadw'i hymennydd rhag mynd yn ôl i gysgu. Sŵn hymian parhaus. Pell, ac eto'n agos. Ac mae rhythm rhyfedd iddo. Hm hm hỳ. Hm hm hỳ. Nid pry. Mae pryfed yn rhoi'r gorau iddi weithia. Yn blydi niwsans sy'n llosgi allan cyn cael ail wynt: hymian hir, blin, wedyn hymian byr, ysbeidiol, a stopio ennyd. Oherwydd mai pethau byw ydyn nhw. Dydi hwn ddim yn rhywbeth byw. Rhyw fath o beiriant ydi o. Peiriant sy'n gorfod anadlu. Ac mae o yma hefo hi yn y tywyllwch-caws-llyffant. Ond does arni hi ddim ofn. Mae hi'n rhy farwaidd a llonydd i deimlo dim. Trwy'r düwch-dim-byd a'r niwlen dros ei llygaid, mae rhywbeth yn torri trwy'r dryswch, yn goch fatha gwaed. Ond yn sgleinio mwy na gwaed. Golau ydi o. Pen pìn o olau coch. Dydi o ddim yn fflachio. Ddim yn wincio. Mae o'n ddisymud ac yn grwn fel llygad pysgodyn. Hm hm hỳ. Hm hm hỳ.

Mae'i cheg hi mor sych mae hi'n brifo. Reit i lawr at ei llwnc. Yn brifo isio diod. Mae hi'n fyw felly. Dydi cyrff marw ddim yn teimlo'n sychedig. Dydyn nhw chwaith ddim yn teimlo fel troi ar eu hochrau a rhwbio'u llygaid ac ymestyn eu coesau i gael gwared ar y pinnau mân sy'n eu pigo.

Llwydda Cat i rowlio ar ei hochr, ond mae hynny'n anodd hefyd. Teimla fel dafad, neu grwban; fel rhywbeth a fu ar ei gefn mor hir mae o wedi anghofio fod ganddo gymalau. Mae hi fel pe bai hi'n trio chwalu'r niwl a'r cwsg o'i llygaid hefo llaw rhywun arall. Dydi'r tywyllwch ddim cweit mor dywyll rŵan, y düwch ddim mor ddu. Yn raddol daw'n berchen ar ei dwylo'i hun. Wrth deimlo o'i chwmpas, sylweddola'i bod yn gorwedd ar ryw fath o fatres, ac mae erchwyn i'w gwely caled. Ond dydi o ddim yn wely uchel. Gall gyrraedd y llawr hefo'i llaw. Mae o'n agos – fedar hi ddim disgyn yn bell – ac wedi'i garpedu. Mae'n rhaid ei bod hi mewn rhyw fath o ystafell. Dechreua'i llygaid wneud synnwyr o'r siapiau llonydd o'i chwmpas: mae yna ddodrefn yma;

bwrdd isel, a soffa hir, fflat tebyg i'r un y bu'n gorwedd arni, yn rhedeg ar hyd y pared gyferbyn â hi. Mae hi'n ystafell od, yn fwy o hyd nag o led. Mae hi wedi mentro rhoi'i thraed ar lawr, ond fedar hi mo'i deimlo fo. Mae o yno, yn solet, ond fedar hi mo'i deimlo fo. Teimla'i thraed fel cerrig yn ei sgidiau. Y bŵts trymion hefo'r gwadnau trwchus y bu hi'n eu gwisgo ar gyfer y gìg. Ei Doc Martens newydd hefo'u sodlau uchel. Ond dydyn nhw ddim yn edrych yn newydd rŵan. Maen nhw'n fwd drostynt, fel pe bai hi wedi cerdded trwy gae gwlyb. Ond fuo hi ddim mewn cae. Naddo ...?

Mae'r dotyn o olau coch yn tynnu'i llygaid yn ôl tuag ato, yr unig beth sy'n glir ac yn grwn rhwng haenau'r cysgodion. Hwnnw a'r swn. Hm hm hỳ. Dydi hi ddim ond dau gam oddi wrtho ac mae hi'n estyn tuag ato, bellach yn adnabod grwndi'r oergell a'i olau bach, ac isio crio mewn rhyddhad am nad ydi o'n ddim byd mwy sinistr na ffrij. Prin fod ganddi ddigon o nerth i agor y drws, ac wrth iddi wneud hynny, mae'r golau melyn tu mewn i'r ffrij fechan yn tywallt o'i chwmpas. Mae'r chwa a ddaw ohoni yn sgil y goleuni'n gwneud iddi deimlo'n oerach fyth, ond o leiaf gall weld rŵan nad mewn tŷ mae hi, ond mewn carafán. Carafán go fawr, nid un o'r rheiny mae pobol yn eu tynnu tu ôl i'w ceir.

Wrth i'w llygaid gynefino â'r mwrllwch, gall weld ei bod mewn cyfuniad o le byw a chegin. Sylwa hefyd, yn ôl ei siâp a'i leoliad, fod yna deledu'n sownd ar y wal. Gyda rhuthr o obaith, mae hi'n chwilio'n wyllt am switshys golau: mae yma drydan, ac mae'r ffrij yn gweithio. Rhed ei llaw i fyny ger ochr ffrâm y drws a theimlo'r sgwaryn plastig cyfarwydd. Unwaith y medar hi roi'r golau ymlaen gall weld yn union lle mae hi, cael hyd i'w ffôn ... Eiliad o ryddhad ydi o wrth iddi roi'r switsh ymlaen. A chael dim. Mae pwy bynnag sydd wedi dod â hi yma wedi tynnu'r bylbiau golau. Ond y teledu. Unwaith y ceith hi droi hwnnw ymlaen ... Mi fydd yn amhosib iddi hi gael hyd i'r remôt yn y tywyllwch 'ma. Estynna'i llaw a theimlo am fotwm ar y teledu'i hun. Shit, ydi o'n un o'r rheina sydd ddim ond yn gweithio hefo remôt yn unig, tybed? Na, Cat, gwitsia am funud ... mae rhywbeth yn digwydd. Y sgrin yn deffro a ... dim, heblaw gwreichion gwynion, fel eira'n lluwchio mewn sno glôb dieflig.

Disgynna'n ôl ar y gwely soffa, ei dagrau'n llosgi mwy oherwydd bod ei chorff cyn oered, a sylweddoli o'r diwedd fod hyd yn oed sgrin wag yn well na dim. Daw rhywfaint o olau oddi arni, digon iddi allu cau drws y ffrij. Digon iddi weld rhywfaint ar y petheuach sydd ar y silff uwch ben y tân cogio. Tân nwy. Ond fydd yna ddim nwy. Na fydd? Ac eto ... Mae hi'n ddigon oer i drio tanio'r switsh ar hwn hefyd. Ac yn ddigon call i ddisgwyl yr un siom ag a gafodd wrth drio cynnau popeth arall yn y carchar 'ma. Penlinia o flaen y grât gogio fel pe bai honno'n allor. Pwy ddaeth â hi yma? Pam? A sut? Cheith hi ddim atebion nes bydd ei phen hi'n clirio. Nes codith hi ei golygon. Gweld y llun ar y silff. Hogyn ysgol. Mewn iwnifform. Mae hi'n nabod yr iwnifform. Ei nabod o. Mae o'n fengach o lawer yn y llun. Ac mae yna ddynes yn sefyll wrth ei ochr. Dydi hi erioed wedi cyfarfod ei fam o, ond mae'n amlwg mai hi sydd yn y llun hefo fo. Yr un llygaid. Yr un wên gaeedig. Dydi o ddim wedi newid dim. Mae hyd yn oed ei wallt o'n debyg i'r ffordd mae o'n ei wisgo heddiw.

Er gwaetha'r oerfel, mae Cat yn dal yn gysglyd. Yn ddryslyd. Yn llithro'n ôl i'w chwman o flaen allor o dân nwy da-i-ddim mewn carafán statig heb olau na gwres.

Yn methu'n glir â deall pam ei bod hi yma.

A pham fod yna lun o Mono a'i fam mewn ffrâm arian ar y rhimyn bach cul o silff ben tân.

Yn rhywle tu allan (ynteu a ydi o tu mewn i'w phenglog?), mae yna sŵn chwerthin cras, ysbeidiol; chwerthiniad rhywun hollol loerig wedi gwirioni'n bot ar ddoniolwch ei jôc ei hun.

OSH

"Lli?" Sylweddola fel y bu ond y dim iddo'i galw hi'n 'Lliw'. Dylanwad Dafydd Singh. Mae hi'n syndod sut gall dwyawr dros beint hefo hen fêt lusgo ddoe yn ôl. "Sud wyt ti ers oes pys? Faint sydd, dwa?"

Mae hi'n edrych yn welw, lliw rhywun sâl arni; eto i gyd, llwydaidd ei gwedd fu Lliwen erioed. Mae golwg Goth-aidd arni o hyd. Croen gwyn a dillad cwyrci. Gwallt duach na du. Sylwa Osh fod ganddi froetsh ryfedd ar goler ei siaced dywyll, rhywbeth gwyrdd, metalaidd. Cymer eiliad neu ddwy i sylweddoli mai llyffant ydi o, dim ond bod un o'i goesau ar goll. Rêl Lliwen, yn dal i wisgo rhywbeth heb sylwi'i fod o wedi torri. Meddylia pa mor addas ydi hi ei bod hi wedi dewis llyffant, a hithau'n ei atgoffa cymaint o ffilmiau hefo gwrachod ynddyn nhw.

"Be' wyt ti'n ei wneud yn dy ôl ffor'ma, ta?" Dim 'helô'. Etyb yn yr un hen ffordd swta, ddifynegiant honno a fu ganddi erioed. Cyfnewid ei gwestiwn am un arall, a swnio ar yr un pryd fel pe na bai blewyn o ots ganddi beth bynnag am yr hyn fydd ganddo i'w ddweud. Felly dydi o ddim yn trafferthu i oleuo dim arni, dim ond crafu am rywbeth arall:

"Ges i beint hefo Daf y noson o'r blaen."

Ddaru yna gwmwl basio dros ei hwyneb hi rŵan wrth iddo sôn am ei brawd-yng-nghyfraith? Anodd dweud hefo Lliwen. Fuo hi erioed mo'r orau i edrych i fyw llygaid neb. Ond dydi hi ddim yn cydnabod y sylw hwnnw ganddo chwaith, dim ond estyn goriadau'i char o'i phoced a'u hysgwyd, cystal â dweud: dônt rîli gif e shit. Er bod rhywbeth bach ynglŷn â'r ffaith ei fod o wedi cyfarfod Daf wedi ysgwyd rhywfaint arni hi. Ynteu ai dychmygu pethau mae o? Dyna un arall o ddoniau Lliwen: gall wneud i ti dy amau dy hun heb iddi hyd yn oed edrych i dy gyfeiriad. Sylla Osh yn fanwl arni: mae hi'n gwneud hynny'n hawdd iddo, o leiaf, gan fod ei llygaid yn edrych i rywle ymhell dros ei ysgwydd dde fel pe bai hi'n craffu ar ryfeddod sy'n anweledig i bawb ond y hi. Rhwng hynny, a'r ffaith ei bod hi'n janglo'r goriadau'n ddi-baid fel pe bai hi'n chwarae'i rhan mewn rhyw fath o gerddorfa wallgof, mae o'n tybio am ennyd ei bod hi dan ddylanwad cyffur. Yna cofia'n sydyn am yr un peth amlwg a fu'n rhan annatod ohoni erioed, ac a fydd yn ei nodweddu am byth: mae Lliwen mor glyfar mae hi'n od. Ac mae'n debyg nad ydi amgylchiadau'i bywyd hi ddim wedi gwella hynny o oddefgarwch a fu ganddi erioed tuag at bawb o'i chwmpas. Efallai mai dyna pam y dewisodd hi fynd i faes milfeddygaeth; does gan Osh ddim gronyn o amheuaeth ei bod yn well ganddi anifeiliaid na phobol.

"Wela i di o gwmpas, Lliwen."

Mae'i hymateb surbwch bellach yn peri iddo yntau ymddwyn yr un fath. Rhyfedda at y modd y gall hwyliau drwg person arall dynnu rhywun i lawr. Roedd Siw felly ers talwm; gallai un edrychiad ganddi foddi'i lawenydd cystal â phe bai hi wedi dal ei ben mewn bwcedaid o chwd. Diolch i Dduw fod ganddo esgus i'w gluo hi oddi wrth Lliwen – nid fod ots ganddi oherwydd mae hi eisoes wedi troi oddi wrtho ac yn llwytho'i neges i gist ei char – o achos ei fod o wedi addo cyfarfod Liam am ginio, ac mae o ddeng munud yn hwyr yn barod.

Mae'i frawd yn edrych ar ei watsh yn fwriadol wrth i Osh gyrraedd y caffi. Rêl copar. Hyd yn oed hefo'i deulu'i hun. Mae'n mynnu cael blaen arno drwy ddweud, cyn tynnu cadair iddo'i hun wrth y bwrdd top coch:

"Yndw, dwi'n hwyr. Taro ar rywun. Siarad. Ti'n gwybod fel mae hi ..." Mae o isio ychwanegu: A does dim rhaid i titha tsiecio i fyny arna i fel hyn bob munud chwaith. Dwi'n iawn. Dwi'n ffein. Dwi adra'n ôl, yn cael hyd i 'nhraed. Yn mendio eto ar ôl fy llanast diweddara. Wedi rhoi sbre job i 'nghalon hefo paent moto-beic. Mi ddalith hwnnw wres unrhyw beth ...

"Mi roedd hi'n uffar o sgwrs ddiddorol, mae'n rhaid."

"Nac oedd, cofia. Sgwrs dau funud. Traffig dre yn naitmer."

"Felly nid dyna ddaru dy gadw di felly. Mi roeddat ti'n hwyr beth bynnag."

"Oeddwn. Mi ddusish i glwydda. Testio faint o dditectif wyt ti, yli. Felly rho dy ben yn ôl yn dy din a dy law yn dy bocad. Gymra i fêcyn bap a te bildar. A dwi isio o leia tri phecyn sos coch."

"Twat." Mae treiglad llaes bwriadol ei frawd yn peri i Liam wenu er ei waethaf; mae'n braf cael y diawl bach yn ei ôl adra.

Sylla Osh o'i gwmpas wrth i Liam fynd at y cownter i archebu. Mae'r fan hyn hefo'i jips a'i saim yn fyd gwahanol i Gaffi Marian. Ydi, mae'r fan honno'n neis mewn ffordd waraidd, ddosbarth canol brownis-cartra-a-bara-hadau, ond mae o'n teimlo'n llai amlwg yn y fan hyn yn ei ledar moto-beic, lle mae brecwast i'w gael tan saith gyda'r nos, a dim hanes unrhyw fath o waffl nac omlet: yma, wy ydi 'ffocin wy', yn dod wedi'i ffrio bob amser heb i neb ofyn, ac mae'r te'r un lliw'n union â stwff peintio ffens.

"Ydi Ner yn gwybod mai i fama ti'n dod am dy ginio?"

Dydi o ddim ond yn gofyn oherwydd ei fod o'n gwybod yn iawn beth fydd yr ateb. Dyna sy'n braf bellach, meddylia Osh, ynglŷn â bod yn foi sengl eto: cael mynd i unrhyw le licith o, bwyta unrhyw nialwch licith o, a neb yn monitro'i golestrol o, nac yn rheoli'r caffîn yfith o ar ôl pump o'r gloch yn y pnawn. Mae'n croesi'i feddwl o ar yr un pryd, wrth frathu i'r fynsan (bara gwyn, yn naturiol) gig-moch-a-sos-coch nad oes yna fawr o neb yn mynd i boeni'n ormodol ynglŷn â pha mor hir y bydd o'n byw chwaith, ond dyna fo, fedar rhywun ddim cael y pros heb y cons, debyg.

Dydi Liam ddim yn codi i'r abwyd, dim ond dal i reslo hefo'r pecyn sos brown a dweud:

"Diolch i ti am fod yn gwmni iddi. Mynd â hi a'r

genod i'r rali. Mi gafon nhw hwyl." Hwyl na ches i mo'r cyfle i fod yn rhan ohoni, ychwanega'r saib sy'n dilyn. Ond mae Osh yn gwrthod cydymdeimlo. Dywed hi fel ag y mae hi.

"Oes raid i ti weithio bob blydi wicend, dwa?"

Ffrwydra'r sos brown dros ochr Liam o'r bwrdd:

"Shit."

A fel'na'r eith ei briodas o hefyd, os na watshith o, meddylia Osh. Mae Nerys, ei chwaer-yng-nghyfraith, wedi bod yn gymaint o gefn i'w frawd. Y cymar perffaith. Cofia fod yn uffernol o jelys, ar un adeg, o berthynas y ddau. Methodd yn lân â chael, hefo Siw, yr hyn a oedd gan Liam hefo Nerys: y ddealltwriaeth hudolus honno a gawsai'i hotweirio yr eiliad roedden nhw'n edrych i fyw llygaid ei gilydd. Roedd y crap 'dau-fel-un' hwnnw a fodolai mewn penillion ar gardiau priodas yn wir yn eu hachos nhw. Maen nhw wedi byw'r freuddwyd: y garwriaeth, y briodas, y cartref cyntaf. Wedyn y naid o dŷ bach twt i ddyrchafiad cyntaf. Dechrau teulu. Dyrchafiad arall a thŷ dybl-garej. Ydi, mae o wedi rhoi'r grafft i mewn, ond roedd ganddo fo a Ner y majic hefyd. Fedar neb gael y cwbwl heb gael twtsh o lwch hud drosto fo hefyd. A Nerys ddaeth â hwnnw.

Ond rŵan, mae'r boi'n wyrcaholic. Dydi Osh ddim wedi bod o gwmpas ddigon i wybod ai fel hyn mae'i frawd wedi bod o'r dechrau, ond mae o'n bendant wedi gweld gwahaniaeth ynddo yn yr amser byr ers iddo yntau ddychwelyd o Fanceinion. Gwahaniaeth yn ei berthynas â'i wraig. Mae yna ryw bellter yn llygaid

Nerys weithiau sy'n adlewyrchu'r pellter achlysurol mae o wedi sylwi arno rhyngddi hi a Liam. Nid rhywbeth amlwg ydi o. Beth bynnag sy'n poeni Nerys, mae hi'n gwneud ymdrech i'w guddio. Ond mae o yn ei llygaid heb ei ddatgan, fel y tywydd rŵan, fel y dyddiau sy'n prysur dynnu atynt, fel y tymhorau'n troi, un yn suddo i'r llall cyn i neb sylweddoli. Ac mae hynny'n waeth; fel mae popeth sy'n ddi-droi'n-ôl, mi ddaw pob bwgan diwyneb a rhoi cyllell yn dy gefn cyn i ti wybod beth sy'n digwydd iti, fatha stelciwr yn y gwyll.

Tybia Osh fod y dyrchafiad diweddaraf 'ma wedi bod yn fwy o ysgytwad i Liam nag y mae o'n fodlon ei gyfaddef. Bod yn fòs ar fwy o bobol mewn mwy o lefydd. Rhoi ordors. Fel capten yn y fyddin. Hynny reit i fyny stryd ei frawd. Ond i fod yn deg â'r diawl ei hun, dydi bod yn gyfrifol am ymchwiliad i lofruddiaeth rhywun ddim mo'r peth esmwythaf i gysgu'r nos arno. Trugarha wrtho, a chodi i nôl sos brown arall. Dydi Liam ddim yn wirion. Yn achos Osh, mae gweithredoedd bach ystyriol fel hyn yn golygu'i fod o'n paratoi i ofyn rhywbeth na ddylai, h.y. bod yn fusneslyd. Cymer ddracht o'r Cuprinol Dark Oak sydd eisoes yn dechrau staenio'r tu mewn i'w fŷg.

"Hwda, cym hwnna cyn i dy wy di ddechra cledu." Saib. Rhoi siwgwr yn ei de. Ei droi. Clinc clinc y llwy. "Hei ... ym ... mond gofyn 'lly, de ..."

Dyma ni. Bingo.

"Ia?"

Mae gan Liam ddawn plisman o wneud i un gair

ymholgar ferwi o fygythiad. Mi ro' i hynny iddo fo, meddylia Osh. Dim ond bylb golau noeth yn hongian uwch ben y bwrdd fasa ar hwn ei angen cyn y byddai Pablo Escobar yn cachu'i lond o. Gwthia'r pecyn sos HP yn nes at blât ei frawd, ac – fatha byrglar yn tsiansio'i fraich ar ôl lluchio stecan i Rottweiler – mae o'n ei mentro hi.

"Bob dim yn ocê, yndi? Efo Nerys a chdi?"

Mae'r eiliadau mae Liam yn eu cymryd i agor y pecyn sos brown yn teimlo fel oriau. Ar ôl y saib sy'n dilyn tywallt y sos, profi'r melynwy, a rhoi'i gyllell a'i fforc i lawr drachefn, mae Osh yn ei baratoi'i hun am lith sy'n cynnwys adar glân yn canu, a llond caeau o ŵyn yn dysgu defaid sut i bori, ond yn hytrach:

"Ti wedi sylwi felly?"

Mae Osh yn tsiansio'r fraich arall.

"Ti'n gwybod be' fyddai Nain yn ei ddweud. 'Y sawl a fu ...'"

"Dônt pwsh it. Dwi'n bell o fod wedi gwneud yr un gachfa â chdi ohoni ..." Sylweddola Liam pa mor giaidd roedd ei eiriau'n swnio'r munud mae o wedi eu hynganu nhw, ond dydyn nhw ddim wedi bod yn ddigon i roi taw ar Osh.

"Dyna maen nhw i gyd yn ei ddweud, mêt. Ar ôl anwybyddu'r llosgfynydd sy'n grwgnach yn y cefndir, maen nhw'n deffro un bora i lifeiriant o dân a brwmstan ..."

"Iesu, ocê. Rên it in, Wil Colar Startsh. Pryd gest ti dy dröedigaeth ta?"

"Ti'n iawn. Dwi wedi 'gweld y goleuni', de. A dwi'n well fel ydw i. Sengal. No strings."

"Hen lanc miserabl, mewn geiriau eraill."

"Ia, wel. Dydi o ddim i bawb." Mae Osh yn golchi cegiad o'r te creosot rownd ei geg. "Jyst trio gofalu dwi nad wyt ti'n diweddu felly."

"Pam? Be' ddudodd hi?"

"Pwy?"

"Ner, de!"

"Dim llawer. Mond ..."

"Mond be'?"

"Esu, dora jans i mi siarad. Fel hyn ti'n holi sysbects, ia? Dim rhyfadd bod pawb yn pwdu a deud 'no comment'."

"Ti wedi gwatshad gormod ar *Line of Duty*."

"Ia, mi rwyt ti'n debyg ar y diawl i'r Gwyddal mawr difynadd 'na hefyd, erbyn meddwl."

"Ty'd 'laen ta. Be' ddudodd Nerys?"

"Roedd hi'n fwy ynglŷn â'r hyn *na* ddudodd hi, i fod yn onest. Rhyw ddarllen rhwng y llinellau roeddwn i. Nid beirniadaeth arnat ti oedd ganddi. Wel, nid yn uniongyrchol."

"Beirniadaeth ar be', ta?"

"Dy waith di. Y job. Awgrym fod yna dri yn eich perthynas chi: chdi, hi a'r swydd DCI. Mi ddaw hyn rhyngoch chi, sti, os nad wyt ti'n ofalus."

Ac am yr eildro'n olynol, caiff Osh ei siomi o'r ochr orau yn ymateb Liam. Mae o'n annaturiol o wylaidd, yn derbyn popeth heb gega. Dydi o ddim yn ymddwyn yn ôl ei arfer, yn llawn brôl a brafado a'r ffraethinebau crafog hynny sy'n ymylu'n aml ar fod yn ddiangen o gignoeth. Arwydd arall, tybia Osh, fod yr esgid ar y droed arall, ac mai fo ydi'r un a ddylai fod yn pryderu am ei frawd rŵan.

"Mae hi'n anodd, sti, Osh. Switsho i ffwrdd ar ôl dod adra. Mae o fatha cachu ci'n glynu dan sgidia rhywun. Ti'n cario'r job hefo chdi i bob man."

Gall Osh ddeall hynny. Mae o'n wir i dwrneiod hefyd. Ambell i achos yn chwarae ar feddwl rhywun. Mi fedri di gau dogfennau mewn drôr, diffodd sgrin cyfrifiadur, ond mater arall ydi'r hyn sy'n corddi yn dy ymennydd di. Wedi dweud hynny, ychydig o gyrff ar slabiau mae twrna'n eu gweld, oni bai'i fod o'n gweithio i Don Corleone. Ceisia ddangos ychydig o empathi:

"Mae dy waith di'n bownd o chwarae hefo dy ben di; ti'n gweld pethau mawr."

"Sôn am weld pethau na fedri di mo'u dad-weld," medda Liam, yn llygadu'r staeniau te yng ngwaelod ei fŷg fel petai o'n disgwyl gweld ei ffortiwn ynddyn nhw, "mi dynnon nhw gorff y boi ifanc hwnnw aeth ar goll, gitarydd Doctor Coch, o waelod Llyn Gwyryfon ddoe."

"Llyn Cedor ti'n feddwl?" Deil Osh i ddefnyddio'r hen enw, llai poléit ond llawer mwy perthnasol, am y lle.

"Fasat ti'm yn nabod y lle rŵan. Maen nhw wedi torri'r hen goed i gyd dros fwrw'r Sul, chwalu'r lle i greu datblygiad newydd. Gwagio'r hen lyn i greu pysgodfa.

Dyna sut cawson nhw hyd iddo fo. Wel, cael hyd i'r car yn gynta, de, a fynta yn sedd y gyrrwr."

"Arglwydd. Bwriadol, felly? Hunanladdiad? A llwyth o gyffuria yn y mics hefyd, ma' siŵr Dduw."

"Do, mi gafon nhw hyd i gyffuria yn ei gorff o, ond ..." Mae Liam yn stopio'n sydyn, fel petai cyfrinachedd yr achos wedi codi llaw o'i flaen o fatha dyn lolipop i'w atal rhag datgelu mwy.

"Ty'd 'laen, fedri di ddim stopio yn fanna. Hefo fi ti'n siarad, cofia. Ti'n gwybod na thorrwn i mo dy ben di."

Sy'n berffaith wir. Bu'n geidwad cyfrinachau heb ei ail oddi ar pan oedden nhw'n blant. Does dim angen cymell Liam rŵan i gofio sawl chwip din fentrodd Osh ei chael dim ond er mwyn cadw ar y brawd mawr roedd o'n ei eilunaddoli. Pwy feddylia mai fo, Liam, yr hogyn drwg a adawsai i'w frawd bach gymryd y bai, ydi'r plisman erbyn hyn? O'r eironi. Mae pobol wedi ymddiried yn reddfol yn Osh erioed, hyd yn oed pobol nad ydi o'n eu nabod: hen alcis mewn bỳs stops yn adrodd hanesion eu bywydau, merched canol oed chwys doman mewn tsiecowts archfarchnadoedd yn sibrwd yn ei glust am felltithion eu hot fflyshys. Mae ganddo wyneb sy'n denu sîcrets: y llgada-hogyn-drwg 'na sydd ganddo ydi'i gyfrinach yntau, yn toddi calonnau pobol gan wneud iddyn nhw deimlo, yn ystod y munudau hynny yn ei gwmni, nad oes yna neb arall yn bodoli ond y nhw. Mae hi'n ddawn y mae Liam, yn ddistaw bach, wedi rhyfeddu ati'n wastad. Dyna sut y gwyddai na châi'i frawd byth ei gosbi ers talwm am ei gamweddau. Pe na bai Osh yn gymaint o rebel, byddai wedi gwneud offeiriad penigamp.

Mae Liam yn edrych dros ei ysgwydd, fel petai o'n chwarae rhan lleidr mewn ffilm gangstar, i tsiecio nad oes neb arall yn gwrando, ac yna'n gwyro'n nes. Iesu, meddylia Osh, mae hwn yn medru bod yn ddrama cwîn hefyd. Mi fasa fo wedi edrych yn llawer llai doji petai o wedi aros fel roedd o.

"Nid boddi ddaru o." Eistedda'n ôl wedyn, â golwg smỳg arno, er mwyn i Osh dreulio'r dystiolaeth syfrdanol. Caiff ei siomi. Y cyfan a wna Osh ydi sbio fatha dafad arno:

"Ond mi gafon nhw hyd iddo fo yn y llyn. Wedi dreifio i mewn, medda chdi ..."

"Ddudish i mo hynny, naddo?" Gwyra Liam yn ei flaen eto, ac ychwanegu yn ei sibrydiad Michael Caine: "Doedd yna ddim dŵr yn ei lyngs o."

Caiff hynny'r effaith ddisgwyliedig ar Osh.

"Roedd o'n farw cyn mynd i mewn i'r llyn. Sy'n golygu ..."

"Sy'n golygu," medda Liam, yn gorffen y frawddeg er mwyn cael y pynshlein, "gan nad ydi dyn marw'n gallu – nac yn teimlo'r angen – i ddreifio'i gar i mewn i lyn er mwyn ei ladd ei hun, bod rhywun wedi gwneud y job drosto fo."

"Blydi hel, go iawn? Llofruddiaeth?"

"'Dan ni newydd halio rhywun i mewn gynna." Felly dyna oedd y neges ffôn ymddangosiadol ddifyr roedd Liam wrthi'n ymateb iddi pan gyrhaeddodd Osh y caffi. "Aelod arall o'r band."

"No wê. Siriys?"

"Y chwaraewr piano."

Cofia Osh y boi diymhongar yr olwg a welodd ar y cîbord nos Sadwrn dwytha. Doedd o'm yn edrych yn ddim byd tebyg i lofrudd. Ond wedyn, dydi pobol ddim, nac'dyn?

"Be', jyst rwtîn 'lly, ia? Dach chi ddim yn meddwl go iawn mai hwnnw sydd wedi topio'r Gari Gibs Jôs 'ma, beth bynnag ydi'i enw fo ..."

"Gari Woodville-Jones."

"Unrhyw berthyn i'r bildar hwnnw sy'n dreifio Merc?"

"Ei fab o."

"Mam bach."

"Dim ond cychwyn ar yr ymholiadau rydan ni, ond mae yna dipyn o syrcymstansial, de. Mae yna waith hel fforensics, wrth gwrs. A ma' gin i flys gweld be' sydd gan gyn-aelod o'r band i'w ddeud, hefyd. Boi o'r enw Nadhir Singh."

"Nefar! Ned Singh?"

"Pam? Paid â deud dy fod ti'n ei nabod o? Dwyt ti'm wedi bod yn dy ôl adra ers pum munud ...!"

"Nabod ei dad o, de. Daf. Yn yr un criw â fi yn 'rysgol. Mi briododd hefo Eira Tomos. Na, fasat ti'm yn cofio." Roedd Liam saith mlynedd yn hŷn na'i frawd, ac yn cychwyn yn y coleg y flwyddyn y cychwynnodd Osh yn yr ysgol uwchradd. "Mi ges i beint hefo Daf Singh nos Wener cyn y rali. Dyna sut gefais i hanes y plant. Be' fasa gan Ned i'w wneud hefo hyn, ta?"

"Mi ffoniodd rhywun i riportio hogia'r band y noson y buon nhw allan yn peintio seins ar wal tŷ gwair Wern Isa'."

Mae hyn yn codi gwên.

"Esu, mi fasai Elis wedi mynd i lawr i helpu tasa fo'n gwbod."

"Basa. Dyna ddudodd o wrtha i wedyn. Ond dyma'r peth, yli, Osh. Pan wnes i dipyn o fusnesu tua'r stesion 'cw, mi ges i hyd i enw'r Ned 'ma."

"Ia, ond fedri di ddim amau pobol o fod yn llofruddion dim ond am eu bod nhw'n cyflawni'u dyletswydd cymdeithasol. Medal ti'n ei roi i bobol sy'n helpu'r heddlu, nid jêl, ia ddim?"

Dydi Liam ddim yn hollol siŵr p'run ai ydi Osh yn tynnu arno neu beidio. Ond mae o'n dewis anwybyddu'r dìg.

"Roedd Ned yn arfar chwarae hefo'r band. Dydi o ddim hefo nhw bellach, a'r Gari 'ma gymrodd ei le fo."

"Mynd i'r coleg ddaru o, de? Prifysgol Norwich. Rhy bell i ddŵad adra i gigio bob wicend, doedd?"

Tipical. Mae hwn newydd barashiwtio yn ei ôl o Fanceinion, ac mae o'n gwybod mwy na fo'n barod am ei sysbects ei hun, wedi cael hanes bywyd hen ffrind ysgol nad ydi o wedi'i weld ers blynyddoedd yn yr amser mae hi'n ei gymryd i wagio gwydryn peint.

"Ac mi rwyt ti'n digwydd gwybod hefyd be' mae o'n ei astudio, siŵr o fod."

"Archaeoleg."

Mae'r ateb mor barod, mor ddisgwyliadwy fel bod y ddau'n chwerthin ar yr un pryd.

"Efallai y basai hi'n well i mi dy gyflogi di ar y cês, y Magnum PI uffar. Yn lle dy fod ti'n baeddu dy ddwylo ecseciwtif, meddal hefo oel moto-beics."

"Mi fedrwn i dy helpu di, os ti isio." Dim ond hanner cellwair mae o. Yn ei swydd fel cyfreithiwr, y gwaith ymchwiliadol oedd yn mynd â'i fryd fwyaf. "Ac mae gen i foi da yn y gweithdy'n edrach ar ôl petha. Rich T. Fatha'r sgedan," ychwanega, cyn i'w frawd gael cyfle i fod yn glyfar.

"Be', yr Hell's Angel hwnnw o Garmel? Nytar. Mi fedra i feddwl am lot o eiriau i'w ddisgrifio fo, ond dydi sgedan ddim yn un ohonyn nhw."

Dewisa Osh beidio dilyn trywydd y beicar mawr hirwallt hefo Liam. Fedar o yn ei fyw ddychmygu'r benglog ar siaced Rich yn gwisgo coron Heddlu Gogledd Cymru. Fodd bynnag, mae o'n cael cysur annisgwyl yn y ffaith fod gan y ddau ddyn 'ma sydd mor wahanol i'w gilydd â nos a dydd, ond sy'n golygu cymaint iddo yn eu ffyrdd eu hunain, fathodyn y ddraig goch yn gyffredin, er bod un ohonyn nhw'n ei chadw yn ei walat, a'r llall yn ei chario ar ei feic.

Mae Osh yn gwerthfawrogi'n dawel fach yr ymdrech mae Liam yn ei wneud i gadw llygad brawdol arno. Ers iddo ddychwelyd adra, teimla'r hen agosrwydd a fu rhyngddyn nhw'n blant, er gwaetha'r gwahaniaeth yn eu hoedran, yn tyfu yn ei ôl. Ond yn rhyfedd iawn, nid ei fod o'n cwyno, caiff y bythol brysur DCI Liam O'Shea hyd i'r amser i'w roi i'w frawd bach, ac eto i gyd, dengys yn ddiweddar ryw esgeulustod od o'i berthynas â'i wraig ei hun. Sylweddola Osh yn sydyn, wedi i'w frawd adael, pa mor rhwydd y llwyddodd Liam i osgoi trafod ei briodas ymhellach, pa mor slic a sydyn y bu iddo ddargyfeirio'r sgwrs gan iddo synhwyro pa mor ysol oedd ei ddiddordeb yntau yn achos ffrwydrol y corff yn y llyn. No contest, nac oedd? Yr uffar cyfrwys. Ac yn gwneud yn siŵr ei fod o'n dewis ffenest benodol o awr ginio – na fyddai hi byth yn awr go iawn – i gyfarfod, gan wybod y byddai ganddo'r esgus delfrydol o edrych ar ei watsh, dweud ei fod o'n gorfod rhuthro'n ôl at ei waith, a diflannu hefo winc a 'Fedran ni i gyd ddim bod yn ddigon lwcus i fod yn fosys arnan ni'n hunain, na fedran?'

Wrth gamu allan i'r glaw mân sy'n dechrau bwrw'i gysgod dros y stryd, mae Osh yn cnoi cil dros sylw'i frawd. Er gwaetha'r pỳrcs o fod yn berchen ar ei fusnes ei hun, mae'n dod i sylweddoli nad ydi hynny chwaith ddim cweit yn fêl i gyd. Rhyddid-cogio ydi o, meddylia. Mae bod yn fòs arno'i hun yn cymryd llawer mwy o ddisgyblaeth na gweithio i rywun arall. Nid dim ond amdano fo'i hun mae o'n gorfod meddwl rŵan, ac yntau'n gyfrifol am dalu cyflog i Rich. Ond dydi o ddim yn difaru. Mae'i fenter newydd yn rhoi rheswm dilys unwaith eto iddo godi yn y bore.

Dydi baich ei gyfrifoldebau fel yr un sy'n galluogi Rich T i roi bwyd ar y bwrdd, ac yng nghafnau'i ddefaid, ddim, fodd bynnag, yn ei rwystro rhag dwyn rhyw ddeng munud ychwanegol i bicio i siop-bob-dim Wil Hib i nôl pacad o Rizla. Mae o'n ei ddwrdio'i hun am ailddechrau smocio ers yr holl flynyddoedd. Ac ar Rich mae'r bai. Neu felly mae o'n penderfynu cyfiawnhau'i wendid. Hwnnw gynigiodd rôli ar ôl i Osh gynnig y joban iddo. Roedd hi'n ymgais ar ran y mynydd o ddyn i selio'r cytundeb, ac oni fyddai hi'n anghwrtais gwrthod y fath arwydd o ddarpar gyfeillgarwch? A phe bai Osh yn hollol onest, doedd cael sesiwn mêl bonding hefo Bendigeidfran o foi mewn gwasgod ledar ddim yn syniad rhy ddrwg: pwy a wyddai, efallai y byddai arno'i angen yn ei gongol rhyw ddydd. Yn enwedig rŵan, wir Dduw, a phobol rownd y ffordd hyn, yn ôl pob golwg, yn cael eu mwrdro a'u taflu i lynnoedd. O ganlyniad, mae'n mynd am dro bach i fyny at siop Wil, sydd yn nes at gyrion y dref ac yn cefnu ar yr hen gaeau chwarae. Mae'r rheiny, o leiaf, yn cynnig addewid o rywbeth gwyrdd yng nghanol y concrit a'r ceir o'i gwmpas, ac mae'i ben yn clirio'n braf oherwydd, nid er gwaethaf, y glaw meddal, mân.

Cês y car yn y llyn sy'n dal i chwarae ar ei feddwl pan ddaw i wrthdrawiad â merch benfelen yn dod allan o siop Wil â llond ei hafflau o'r nwyddau mwyaf annhebygol, hanner dwsin o beli tenis gwyrdd sy'n bownsio'n ddel hyd y pafin ac yn bygwth rowlio i'r lôn.

"Shit," medda hi.

Gair y diwrnod.

"Be' ff...?" medda fynta.

"Wel, paid â jyst sefyll yna fatha postyn giât! Rhed ar eu holau nhw!"

Yn groes i'w bwriad amlwg hi, mae'i thymer ddrwg yn gwneud iddo chwerthin. Ufuddha fel hogyn ysgol i'w gorchymyn, ac fel hogyn ysgol yn mynnu procio teigar yn ei asennau er mwyn gweld beth ddigwyddith, fedar o ddim maddau i'r ysfa i dynnu arni.

"Ti ar ei hôl hi braidd ar gyfer Wimbledon, dwyt? Ta practisio ar gyfer flwyddyn nesa wti?"

"Isio golchi 'nghôt dwi." Mae hi'n egluro fel pe bai hi'n disgwyl iddo ddeall, felly penderfyna Osh, am y tro, fynd ar dac arall rhag dangos ei anwybodaeth.

"Y rali'n llwyddiant, doedd?"

Dydi o ddim yn ymwybodol bod ei sylw ffwrdd-â-hi wedi procio'r diffyg amynedd sydd ganddi'r eiliad honno tuag at bob dyn ar y blaned. Ei bod hi'n llwyr gredu ei fod o wedi sylwi arni bnawn Sadwrn, ond nad oedd o ddim isio cymryd arno'i fod o'n ei nabod hi, er iddo drio fflyrtio hefo hi dros banad yng Nghaffi Marian. Wŷr o ddim chwaith mai'r ddau air sydd flaenaf yn ei meddwl ar hyn o bryd wrth iddi edrych arno ydi: tipical dyn. A'i bod hi'n rhyfeddu pam fod rhywbeth felly'n dal i beri syndod iddi. Dyna ydi'r rheswm go iawn pam fod Angharad yn rhoi cynnig ar ei holi rŵan yn null y newyddiadurwraig brofiadol. Mae hi isio cadarnhau'i hamheuon:

"O, ia, mi ges i gip ohonot ti a dy wraig. Gobeithio'i bod hi a'r genod wedi mwynhau. Efeilliaid sydd gynnoch chi, ia? Genod tlws." A dim ond yr awgrym lleiaf yng ngoslef ei llais ei bod hi wedi marcio'i gerdyn fel merchetwr digywilydd sy'n trio'i lwc hefo pob merch a wêl yn ista'n ei dagrau ar un o feinciau'r dref.

Ond mae hynny'n ddigon iddo godi i'r abwyd. Yn cynhyrfu'r direidi ynddo eto. Ymateba'n llyfn, gyda'r bwriad o'i thaflu oddi ar ei hechel:

"Nid y wraig oedd hi." Mae hi'n bechod weithiau nad ydi o'n ymwybodol o'r ffaith bod y blydi sêr bach chwerthinog 'na yn ei lygaid o'n barhaus. Pe bai o ddim ond yn gwybod hynny, byddai'n ymwybodol hefyd na fedar hithau ddim dweud p'run ai ei ffansïo hi mae o, ta chwerthin am ei phen.

"Dy bartnar ta."

"Sgin i'm gwraig na phartnar. Na phlant."

Os ydi Osh yn disgwyl iddi feddalu tôn ei llais hefo fo, caiff ei siomi. Dydi o, fodd bynnag, ddim wedi gallu darllen ei rhwystredigaeth hefo hi'i hun, yr emosiynau sy'n ei chorddi, a'r ffaith nad oes ganddi esboniad am y ffordd mae hi'n teimlo. Mae hi'n casáu'r ffaith ei bod hi'n dal i fod mewn cariad hefo Dyl er nad oes ganddi ddim amheuaeth bellach bod eu perthynas drosodd. Gŵyr hefyd fod hynny'n rhywbeth hollol naturiol. Disgwyliedig, hyd yn oed. Dydi syrthio allan o gariad ddim fel diffodd switsh. Yn enwedig â'r diawl gwirion, anystyriol wedi dal i drio ffonio a thecstio. Gwneud pethau'n anos iddi. Nes peri iddi hi wegian ac ateb y ffôn y tro olaf 'ma; caniatáu i'w chalon ddad-wneud holl ymdrech ei synnwyr cyffredin. Dyna pam na fydd yna ddim lle yn ei phen i ddyn arall am amser hir eto.

Felly dydi Angharad Kiely ddim yn gallu deall yn iawn pam fod Aled O'Shea'n llwyddo i gynhyrfu cymaint arni. Nid â'i chalon hi'n dipiau mân fel hyn.

Pe bai gan Osh ddawn darllen meddyliau, efallai y byddai'n gallu darllen ei phenbleth hithau. Ond does ganddo fo ddim. Yn hytrach, ac nid am y tro cyntaf, daw i'r casgliad nid afresymol fod yr Anji 'ma'n waith caled. Mŵdi. Ond wedyn, onid oedd Siw felly? A Fiona? Ei anlwc o ydi hynny, tybed, ynteu a ydi pob merch felly? Hynny ydi, pob un heblaw Nerys. Ŵyr Liam ddim pa mor lwcus ydi o. Ac wrth droi'r sgwrs o gyfeiriad gwraig ei frawd, meddylia'i fod o ar dir go lew o niwtral pan ddywed:

"Anodd coelio am gitarydd Doctor Coch. Yn enwedig ar ôl cracar o gìg y noson honno. Uffar o sioc i bawb, de ...?"

Mae o'n ofalus rhag torri pen Liam, bradychu cyfrinachau'r heddlu. Nid ei frawd yn unig a fyddai yn y càch. Felly dydi o ddim yn sôn gair am yr hyn mae o'n ei wybod bellach am farwolaeth Gari Woodville-Jones. Dim ond gwneud sgwrs mae o, siarad am yr hyn sydd eisoes yn mynd i fod ar wefusau pawb yn y dref cyn diwedd y pnawn. Ond mae hi'n amlwg iddo ei bod hi'n gwybod cymaint â fo, os nad mwy, am sefyllfa'r corff yn y llyn oherwydd yr olwg wyllt yn ei llygaid, oherwydd ei bod yn gollwng un o'r peli drachefn, ac yn ei gwylio'n bownsio hyd y palmant heb wneud yr un ymdrech i'w chodi. Oherwydd nad ydi pendantrwydd ei geiriau ddim cweit yn llwyddo i guddio'r cryndod yn ei llais pan ddywed:

"Nid fo nath, sti. Nid Mono."

"Mono?"

"Iwan Môn. Pianydd y band. Dyna maen nhw'n ei alw fo ..." Plyga i godi'r bêl am yr eildro, yn amlwg yn ymwybodol ei bod hithau hefyd wedi datgelu gormod. "Hei, gwranda ... fedra i'm sefyll i siarad. Sori. Gorfod bod yn ôl yn y swyddfa ..."

Mae hi'n cerdded oddi wrtho gan fwmian rhywbeth am awr ginio'n rhy fyr, cresiendo'r curiadau sy'n codi o sŵn clecian ei sodlau'n arwydd o'i brys i gyrraedd ei gwaith. Neu i fynd oddi wrtho fo rhag iddo ddechrau'i holi. Yr eglurhad rhesymol am ei hymddygiad amheus, meddylia Osh, ydi fod ganddi stori ar y gweill am hyn i gyd, a'i bod hi'n cadw manylion ei hymchwil o dan ei het nes bydd yr *Herald* yn mynd i brint. Mae rhywbeth, fodd bynnag, yn ei argyhoeddi fod yna fwy iddi. Nid fel newyddiadurwraig yr ymatebodd hi gynnau, ond fel rhywun sydd yn llawer nes at yr achos nag y mae hi'n fodlon cymryd arni. Mae hi'n nabod y Mono 'ma, wedi'r cyfan, yn ddigon da i gyfeirio ato wrth ei lysenw. Efallai'i bod hi'n perthyn iddo.

Sylweddola Osh, er bod yna rywbeth wedi'i wneud o'n chwilfrydig ynglŷn ag Angharad Kiely o'r munud y tarodd o arni, a bod Ffawd yn mynnu bod llwybrau'r ddau ohonyn nhw'n croesi o hyd, nad ydi o'n gwybod dim oll amdani, ar wahân i'r ffaith ei bod hi'n gweithio ar yr *Herald*, a bod yna ryw goc oen newydd dorri'i chalon hi. Mae o wedi sylwi hefyd ei bod hi'n berson reit breifat, er gwaetha'i pherfformiad dagreuol cyhoeddus y diwrnod hwnnw pan welodd yntau, ar eiliad wan, enaid hoff cytûn ynddi, a mynd â hi am banad i Gaffi Marian. Rhyw hanner stori gafodd o ganddi bryd hynny hefyd. Chei di ddim ond gwybod ganddi'r hyn mae hi'n dymuno i ti ei wybod. Amlwg ei bod hi'n ofalus faint mae hi'n ei rannu amdani hi'i hun.

O, wel, meddylia, ac nid am y tro cynta, wrth wrando ar rythm y sodlau sy'n atsain ymhell ar ôl iddi droi'r gongol a diflannu: cymryd un i nabod un, dydi? Ac wrth i gloch drws siop fach Wil Hib wneud swˆn-ers-talwm uwch ei ben, mae'n taro ar feddwl Osh nad dim ond Angharad ei hun sy'n ddirgelwch iddo: dydi o chwaith ddim gronyn callach pam y byddai neb o gwbwl angen hanner dwsin o beli tenis er mwyn golchi côt. Dydi o ddim yn trafferthu i holi Wil ar gownt hynny; dydi hwnnw mo'r math o berson i olchi'i gôt p'run bynnag, cymorth peli tenis neu beidio. Y peth olaf mae o'n ei ddisgwyl wrth ddod allan o'r siop ydi gweld 'y ddirgelwch o ferch' yn ei hôl, yn amlwg yn aros amdano ar y palmant tu allan. Mae'r peli tenis yn bolio drwy'i phocedi hi, yn gwneud iddi edrych fel petai hi newydd fod yn lampio cwningod.

"O'Shea?" Ei gyfenw'n llawn. Fel tasa hi'n siarad hefo'r bytlar. "Ti'n dal ar y rhestr, yn dwyt?"

Rêl hi. Dim o'r rhagbaratoad arferol mae pawb normal yn ei wneud fel: 'Helô eto' neu: 'O, anghofio sôn gynnau ...' Yr hyn a ddaw i'w feddwl yn gyntaf ydi 'pa restr?' Y rhestr aros am dai cownsil? Am glun newydd? Cofrestr pob pyrfyrt rhywiol rhwng fama a Glannau Merswy? Mae'n debyg bod yr edrychiad-llgada-gweigion mae o'n ei daflu i'w chyfeiriad yn ei hatgoffa o ddafad yn pwyso a mesur ei hopsiynau pan welith hi fwlch mewn clawdd, oherwydd mae hi'n cynnig eglurhad swta, a hynny ar hyd ei thin fel petai pob gair yn peri poen corfforol iddi (siriys, mae ar hon angen angyr manejment, de):

"Y gofrestr cyfreithwyr! Dal arni hi, wyt?" A heb roi cyfle iddo na chadarnhau na hel esgusion, mae hi'n powlio 'mlaen hefo'r hyn sy'n amlwg wedi bod yn pwyso arni ers oriau: "Ma' gen i rywun sydd angen twrna. Ar frys. Hynny ydi, mae o isio twrna gwerth ei halen fedar ollwng popeth a mynd ato fo rŵan hyn."

Er nad oes yna ddim o hyn yn gwneud unrhyw synnwyr iddo, mae hi fel pe na bai ganddo ddim byd ar ôl i'w arwain heblaw ei reddf. 'Gwerth ei halen'? Mae o'n fodlon derbyn hynny ganddi hefyd, y compliment mae hi wedi'i guddio mor gelfydd dan haenen o bigau draenog, sy'n profi nad ydi'r Angharad Kiely go iawn ddim hanner mor frathog â'r un mae hi'n dewis ei dangos i'r byd. Saif Osh yno am ennyd, a sŵn y traffig a'r gwylanod yn ei rewi yn ei unfan. Dim ond am ennyd. Cyn iddo deimlo rhywbeth tebyg i gyffro, tebyg i'r rhuthr cyntaf hwnnw o adrenalin a ddaw yn nhwrw agor throtl moto-beic, ar yr union adeg pan fydd y refio a'r cryndod yn gwneud iddo ddychmygu bod y peiriant oddi tano'n ffroeni'r llwybr o'i flaen fatha creadur byw.

Ddywedodd hi ddim pwy oedd angen ei help rŵan, naddo?

Ond yn wahanol i ddirgelwch y peli tenis a'r gôt, does dim rheidrwydd arno i'w holi'r tro hwn.

MONO

Mi ges i banad o goffi uffernol ganddyn nhw. Tasat ti'n medru galw hylif lliw triog rhy chwilboeth i'w yfed mewn rwbath yr un seis â phot blodyn cardbord â chaead arno'n banad. Felly roedden nhw. Bastads un funud, a chlên y funud nesa. Dim ond mai bastads yn cogio bod yn glên oedden nhw bryd hynny hefyd. Tactics, de? Chwarae hefo pen rhywun. Sut nad ydyn nhw'n dallt bod pobol yn medru gweld reit drwyddyn nhw? Er eu bod nhw'n gwisgo gwenau, a dillad fatha pawb normal. Mi fedrat ti stwffio hwch focha i grop top a mini sgyrt a'i dysgu hi sut i dwyrcio, ond hwch fasa hi'r un fath de? Dwi wedi clywed sawl un yn dweud ei fod o wedi bod 'ofn trwy'i din' wrth gael ei holi gan yr heddlu. Y cwbwl fedra i'i ddweud ydi fy mod i mewn cymaint o sioc roedd fy nhwll din i wedi fferru, a da hynny, neu mi faswn i wedi cachu fy hun deirgwaith drosodd. Ond no blydi wê roeddwn i'n mynd i adael iddyn nhw weld hynny. Ella fy mod i'n edrach fatha llo, ond dwi ddim wedi ista drwy gyfresi o *Vera* ar nosweithiau Sul hefo'r dyn 'cw heb ddallt bod gan hyd yn oed y seico mwya lloerig hawl i dwrna cyn i'r polîs ddechrau'i groesholi o.

Roedden nhw wedi dallt, mae'n rhaid, nad wrth fy

enw bedydd mae'r rhan fwyaf o bobol yn fy nabod i, o achos dyma hon ddechreuodd fy holi fi (rwbath mewn siwt lwyd a sgidia fflat, nid crop top a sgert gwta) yn cychwyn, yn ffug-siwgwraidd, hefo:

"Fasa hi'n haws i ti taswn i'n dy alw di'n Mono hefyd?"

"Naf'sa," medda fi, dim ond er mwyn bod yn ocwyrd. Nid y mŵf gorau wnes i erioed. Dim ond i lawr allt fedra pethau fynd wedyn, de?

"Lle roeddet ti, Iwan, am dri o'r gloch fore Sul y degfed ar hugain o Fedi eleni?"

"Adra yn 'y ngwely."

"Pwy arall oedd yn y tŷ?"

"Y dyn 'cw." Sgidia Fflat yn gwneud ceg-twll-din-iâr. "Dad."

"Fedar o wirio'r ffaith dy fod ti adra?"

"Wel, doedd o ddim yn yr un gwely â fi, de."

Roedd hi fel pe bawn i'n methu fy atal fy hun rhag bod yn coci. Nerfau, mae'n debyg. Y teimlad fy mod i'n cael cam. A'r ffaith fy mod i – er na welais i erioed mo'r tu mewn i bolîs stesion yn fy oes tan i ni gael ein nabio ar noson y peintio – wedi cael fy halio i mewn gan yr heddlu am yr eildro mewn llai na phythefnos.

Wedyn y dechreuodd y bwlshit.

"Sut fedri di ddweud dy fod ti adra yn dy wely, Iwan? Mi welwyd dy gar di'n ei hedio hi i gyfeiriad Llyn Gwyryfon am ugain munud wedi un y bore hwnnw."

"E? Gan bwy?" medda fi. Deth wish. "Prysur adeg

honno o'r dydd, dydi? Bràs band oedd yn pasio, ma' siŵr. Un ohonyn nhw welodd y car, ia?"

"Naci," medda Sgidia Fflat. "Y camera ANPR ar y pelican crosing dros ffor' i Ysgol Hirdre." Ac ychwanegu wedyn, fel pe bai arni unrhyw angen dangos ei gwybodaeth heddlu-aidd ar ôl gweld y dychryn pur (pwy ddiawl fedar ddadlau hefo camera?) ar fy wyneb: "Automatic Number Plate Recognition."

Dyna pryd roish i'r gorau i drio bod yn glyfar. Roeddwn i'n hanner disgwyl gweld seléb fatha Tudur Owen yn cerdded i mewn hefo boi camera S4C, ac i rywun weiddi mai pìs-têc roedd y cyfan. Eiliad gymrodd hi i mi sylweddoli mai ffantasi lwyr oedd dychmygu'r ffasiwn achubiaeth. Ac eiliad arall i'r diawl coci tu mewn i mi droi'n gachwr hefo atal dweud.

"Ma' gin i hawl i gael twrna," medda fi'n bwdlyd.

"Oes, tad," medda Sgidia Fflat. "Gawn ni hyd i un i ti. Ond mi fydd yn rhaid i ti aros yma gymaint â hynny'n hirach tra rydan ni'n trio cysylltu hefo fo."

"Dwi isio fy nhwrna i fy hun," medda finna. O lle ces i'r ffasiwn syniad? Gan ryw greadur desbret a fu'n ista ar draws y bwrdd i'r Vera honno, debyg.

"Be' ydi'i rif o?" medda Sgidia Fflat. "Mi ffonian ni o i chdi."

Mi fasa'r comîdian a oedd yn meddiannu fy enaid i gynnau wedi ateb: Ocê, dim probs. Mi fydda i'n sgwennu nymbar fy nghyfreithiwr mewn beiro goch tu mewn i fy ngarddwrn chwith bob tro dwi'n mynd allan, jyst rhag ofn i mi gael fy arestio 'lly. Yn lle hynny, dyma fi'n dweud, mewn dynwarediad o Oliver Twist mewn cynhyrchiad ysgol uwchradd cachu, gan roi cynnig tila ar ei blyffio hi:

"Ydach chi'n meindio ffonio rhywun sy'n gwybod y rhif, plis?"

Roedd gen i lai o wybodaeth am dwrneiod, hyd yn oed, nag oedd gen i am ddulliau cyfweld yr heddlu. Ac roedd hynny o glem a oedd gen i am y rheiny wedi'i ffurfio gan raglenni teledu. Erbyn hyn, roeddwn i'n dechrau cefnu ar *Vera* ac yn osio tuag at *Better Call Saul.*

Os ddaru Sgidia Fflat sbio'n gam pan wnes i gyfadda na wyddwn i ddim beth oedd rhif Angharad Kiely, mi wnaeth wynab tin go iawn pan awgrymais i iddi ffonio swyddfa'r *Eifionydd and Arvon Herald.* Ddywedodd hi ddim y byddai hi'n ffonio drosta i, ond wrthododd hi ddim ar ei ben chwaith, dim ond codi ar ei thraed, edrych ar ei watsh a diflannu. Amser-nôl-y-plant-o'r-ysgol, mae'n rhaid, yn ôl y ffordd y collodd hi bob diddordeb yn fy mhoenydio i'r munud y sylweddolodd ei bod hi bron yn dri o'r gloch.

Bryd hynny y cyrhaeddodd y coffi du yn y pot piso cardbord. Mi gynigion nhw frechdan i mi hefyd, ar ôl sylweddoli, mae'n debyg, fod hyd yn oed llo fatha fi'n ymwybodol o'i hawliau sylfaenol. Gwrthodais, ond mi ddaeth y boi ag un, p'run bynnag. Tiwna plaen ar fara gwyn. Rhywbeth fasa pob pleb yn gallu'i fwyta. Dim ond na fedrwn i ddim stumogi briwsionyn. Roeddwn i'n effro mewn hunllef, a ddim cweit yn gallu prosesu'r ffaith fy mod i yma o gwbwl. Roedd hon wedi dweud wrtha i, ar un pwynt, fod ganddyn nhw le i gredu, wir, nad hunanladdiad oedd marwolaeth Gari Woodville-Jones wedi'r cwbwl. Rhywun wedi'i fwrdro fo, felly? Doedd y posibilrwydd fod Gibs wedi cael ei lofruddio ddim yn syndod mawr i mi. Hen fastad oedd o. Ac nid fi oedd yr unig un fasai wedi lecio'i ladd o ar sawl achlysur. Na, y syndod mwya oedd bod hyn wedi digwydd i rywun o fewn fy nghylch bach i. Bod rhywbeth nad oeddwn i ddim ond wedi clywed amdano ar y newyddion wedi digwydd yma, go iawn, i un ohonon ni. Fuo braw fel hyn erioed mor agos aton ni i gyd o'r blaen.

Ond dim fi ddaru.

Ddaeth y cyfle nesa i mi drio argyhoeddi rhywun nad llofrudd oeddwn i ddim am awr arall o leiaf. Oni bai fy mod i wedi llosgi top fy ngheg ar y coffi berwedig gynnau, a bod fy nhafod i'n teimlo fel pe bai gwenynen yn sownd ynddi, mi faswn i wedi ystyried o ddifri mai mewn breuddwyd roeddwn i wedi'r cyfan pan agorodd y drws ymhen hir a hwyr. Breuddwyd lle roeddwn i'n actio gyferbyn â Tom Cruise yn *Mission: Impossible* (a hynny nid yn unig am na fuo yna erioed well teitl ffilm i ddisgrifio'r llanast yr oeddwn i ynddo fo rŵan). O achos dyma'r boi 'ma hefo'r stybl a'r siaced beicar amdano'n lluchio'i fenig lledar ar y bwrdd ac yn dweud:

"Sori 'mod i'n hwyr, boi. Yr A55 'na'n mental pnawn 'ma. Taswn i wedi dod hefo car, mi faswn i'n dal yn styc yn y ciw. Mono, ia?" A thra bod y fantais ganddo o fy ngweld i'n gegrwth, estynnodd ei law tuag ata i: "Aled O'Shea. Fi ydi dy dwrna di."

Wyddwn i ddim p'run ai torri 'nghalon a dweud wrthyn nhw am fy rhoi fi dan glo'r munud hwnnw, ta chwerthin lond fy mol. Lle roedd y boi yn y siwt Savile Row, yr un hefo brîffces a brên? Roeddwn i wedi rhoi fy rhyddid yn nwylo Angharad Kiely, ac mi yrrodd hi hwn. Dyna lle roeddwn i, bron â rhoi fy mhen yn fy nwylo'n llythrennol, ac yn dechrau meddwl y basa hyd yn oed llo gwlyb fel Arthur Twm wedi cael hyd i gyfreithiwr callach, pan ddywedodd yr O'Shea 'ma:

"Dwi yma i wneud un peth heddiw: cadw'r addewid wnes i gynnau i Anji Kiely. Y peth dwytha ddudodd hi wrtha i oedd: gwna'n siŵr dy fod ti'n ei gael o allan o'r shit-hol yna cyn swpar heno. Ac fel y gwyddost ti, dydi honno ddim yn ddynas i ddadlau hefo hi. Felly dechreua feddwl rŵan be' wti am ei ordro fel tecawê ar y ffor' adra – cyrri ta cebáb."

Ac os nad oedd anffurfioldeb hollol eithafol ei wisg beicar wedi ennyn fy ffydd ynddo pan welais i o am y tro cyntaf, mi barodd ei hunanhyder a thôn penderfynol ei lais i mi deimlo rhywbeth hollol wahanol; mi fasa hyd yn oed Ethan Hunt ei hun wedi gorfod sbio ddwywaith yn wyneb y fath argyhoeddiad. Am y tro cyntaf ers oriau, ers i'r rhain landio ar stepan y drws 'cw a fy nychryn i i ffitia – a gwylltio Dad yn gacwn – drwy fynnu fy llusgo i'r fan hyn 'i'w helpu'n wirfoddol (gwirfoddol, mai ârs) gyda'u hymholiadau', mi fentrais gredu fod gen i rywun yn fy nghornel o'r diwedd. Gwyddwn nad gwylltio ar fy rhan i oedd yr hen ddyn, nid go iawn. Cywilydd oedd ganddo fo, de, i bobol weld car cops tu allan i'w dŷ o.

Dyna pam roedd y diawl iwsles mor blydi blin – hefo fi yr aeth o'n hêrles, nid hefo nhw.

Wedyn mi agorodd y drws eto – roedd hi'n brysurach na stesion Bangor yno rŵan – ac mi ddisgwyliais inna weld Sgidia Fflat yn ei hôl oddi ar y sgŵl rŷn, wedi rhoi sgwyrt o rywbeth dan ei cheseiliau, â thamaid ffresh o jiwing-gym yn ei cheg. Ond boi arall oedd yno'r tro hwn – mawr, moel, amlwg ei fod o wedi arfer hitio'r *gym* o achos bod ganddo sgwydda fatha wardrob. Roedd hi'n amlwg hefyd fod gan hwn fwy o awdurdod na'r lleill. Mi glywn i'r sgwrs rhyngddo a rhywun yn y coridor tu ôl iddo'n diweddu hefo'r llais anweledig yn gorffen gyda: Ocê, Bòs. Mi fedrwn i ddallt pam y byddai pobol yn teimlo'n ddarostyngedig iddo. Roedd ei ffordd o siarad yn swta ac yn syth i'r pwynt; dim gwastraff. Roedd hynny ynddo'i hun yn mynnu parch. Hynny ydi, gan bawb heblaw Aled O'Shea. Mi wenodd hwnnw ar Y Wardrob, yn ddigon rhyw bowld 'lly, ac mi ddaeth yn amlwg bod y ddau'n nabod ei gilydd, oherwydd – er na ddywedodd y dyn mawr pwysig yr un gair – roedd yr olwg ar ei wyneb o'n dangos yn eitha clir yr hyn y basa fo'n lecio'i ddweud: Ffyc sêc, be' *ti*'n da yma?

"Mi hoffwn i weld y dystiolaeth sydd gan yr heddlu yn erbyn fy nghleient," medda fy nghyfreithiwr newydd yn llyfn. Ac ychwanegu, heb adael saib ar gyfer unrhyw wrthwynebiad: "Yr hyn dwi'n ei olygu, wrth gwrs, ydi'r ffwtej a godwyd oddi ar y camera ANPR ar Lôn Hirdre am ddeunaw munud a hanner wedi un fore Sul y degfed ar hugain o Fedi eleni. Os fedar y camera ddangos, heb unrhyw ronyn o amheuaeth, mai fy nghleient oedd gyrrwr y car, mae croeso i'r Frenhines dalu am ei lojins o. Fel arall, mae o'n dod adra hefo fi."

Ateb Y Wardrob oedd troi ar ei sawdl a cheisio rhoi clep ar y drws – cam gwag; roedd o'n un o'r drysau hynny sy'n cau'n araf ar ei ben ei hun, wedi'i osod yn arbennig er mwyn i'r rhai a gawsai wahoddiad i'r stafell hon gofio'u manyrs ar y ffordd allan. Tanseiliodd hynny – ynghyd â'r ffordd anhygoel y cymrodd Aled O'Shea reolaeth lwyr dros y sefyllfa – dipyn go lew ar ei awdurdod. Dyna pryd y dechreuais feddwl o ddifri bod mynd adra'r diwrnod hwnnw'n bosibilrwydd go iawn, hyd yn oed pe bai'n rhaid i mi orfod gwneud hynny ar gefn moto-beic. Roeddwn i'n teimlo mor desbret i adael y lle fel y baswn i wedi fy nghlymu fy hun wrth draed gwylan fôr i hedfan o'no pe bai honno'r unig ffordd i mi allu mynd.

Fel y trodd hi allan, doedd dim rhaid i mi ymddiried mewn na beic na gwylan. Roedd plât rhif y car cynta reit gyferbyn â'r fynedfa wedi'i drefnu i ffurfio'r gair hyfrytaf i mi ei ddarllen erioed: K1 ELY.

A hi brynodd y cebáb i mi hefyd ar y ffordd adra.

DCI LIAM O'SHEA

Dydi byrbwylltra'i frawd bach yn synnu dim ar Liam, ond mi fyddai rhagrybudd o'i stynt ddiweddaraf wedi bod yn llai o draul ar ei nerfau.

"Mi fasat ti wedi medru deud wrtha i."

"Ches i'm amser, naddo? Yn syth ar ôl mi gael cinio hefo chdi, mi welish i Anji ..."

"O, dyma ni!"

"Be'?"

"Ti'n nabod yr Anji 'ma ers pum munud, a gwirioni dy ben fel ei bod hi'n medru dy droi di rownd ei bys bach y cyfla cynta mae hi'n ei gael ..."

"Paid â siarad trw' dy din ..."

"Mae 'na batrwm hefo chdi, de. Yr un hen stori. Ti mor blydi predictabl."

"O? A dwyt ti ddim?"

Mae yna bryd tecawê'n stemio ar y bwrdd rhyngddyn nhw. Dydi Liam ddim mor barod ag arfer i fod y cyntaf i estyn am y bwyd, er nad antics Osh heddiw'n rhuthro i amddiffyn yr hogyn Mono hwnnw sy'n gyfrifol am hynny chwaith; i'r gwrthwyneb. Mae o'n od o falch o gwmni'i frawd heno, ac yn ddistaw bach mae o hefyd yn edmygu'i gyts o. Roedd angen bôls i wneud yr hyn a wnaeth o heddiw i ryddhau'r boi 'na, er nad ydi Liam yn llwyr argyhoeddedig nad oes gan Iwan Môn fys yn y briwas yn rhywle. Roedd hi'n gambl, tsiansio na fyddai tystiolaeth y camera'n ddibynadwy. Gwyddai Osh, wrth gwrs, nad oedd modd gwadu rhif y car, ond drwy ryw ffliwcan roedd y llun a gafwyd o'r gyrrwr yn ddigon aneglur i fwrw amheuaeth dros y cyfan. Clyfar. Mae'r diawl bach yn siarp ac yn medru meddwl ar ei draed, meddylia Liam. Be' ddaeth dros ei ben o'n lluchio gyrfa yn y gyfraith o'r neilltu, er mwyn mynd i chwarae hefo moto-beics yn enw pob rheswm? Oes oedd yna amheuaeth dros ffwtej y camera ANPR y pnawn 'ma, does yna ddim peryg o hynny ynglŷn â gallu Osh: mae o'n chwip o dwrna. Ac eto, jyst pan fydd o'n dechrau codi'n ôl ar ei draed yn sgil rhyw drychineb garwriaethol arall, mae yna ferch newydd yn ymddangos i ddrysu pethau. Na, lle mae merched yn y cwestiwn, dydi rhesymeg ei frawd ddim cweit mor solat. Nid bod blynyddoedd o briodas wedi'i wneud yntau'n ecsbyrt chwaith, neu fasa fo ddim yma rŵan fel hyn yn rhannu *Chinese* hefo Osh.

"Ma'r genod wedi mynd dros nos ar drip ysgol. A Ner wedi gweld ei chyfle i fynd allan hefo'r genod."

"Pa genod?"

"Wn i'm, Duw. Pam?"

"Dim byd. Mond meddwl ella baswn i'n eu nabod nhw."

"Mi rwyt ti'n nabod gormod ohonyn nhw fel ma' hi. Oni bai am dy lỳf laiff trychinebus, mi fasat ti'n fargyfreithiwr erbyn hyn."

"Be' fedra i ddweud?" Mae o'n codi'i sgwydda mewn ffug-hunandosturi. "Dwi'n foi sensitif, dydw? A beth bynnag, mae yna fwy i fywyd na gwaith."

Gŵyr Liam nad ydi Osh wedi bwriadu taro'r post. Ond gŵyr hefyd, wrth wneud sioe ddiangen o brocio'r carton nŵdls hefo'i fforc, fod ei frawd yn ddigon ymwybodol o'i deimladau i sylweddoli'n syth iddo roi'i droed ynddi. Ac, yn nodweddiadol o Osh ac o bob cyfreithiwr gwerth ei halen, dydi o ddim yn dewis ei gadael hi yn y fan honno:

"Petha'n dal yn 'iffi' hefo Ner?"

"Anodd dweud." Er ei waethaf, mae yna ran o Liam sy'n sâl isio ymddiried. "Mae hi jyst fel petai hi isio mwy o sbês, 'lly. Gwneud mwy o bethau hebdda fi. Fatha heno. Stwff genod. Dechra mynd i ioga bob nos Fawrth."

"Does 'na'm byd yn bod hefo hynny, nac oes?"

"Wel, nac oes. Ond dydi Ner erioed wedi dangos diddordeb o'r blaen mewn mynd allan, a dosbarthiadau ioga ac ati. Hyd yn oed pan fûm i'n ei hannog hi. Mond isio bod adra hefo fi a'r genod."

"Ma'r genod yn hŷn rŵan, cofia."

"Ydyn, wn i, ond mae hi'n wahanol. Llai siaradus. Pigog ..."

"Ella mai'r menopos ydi o."

"Be'?"

"Y tsiênj, de. Hot fflyshys a ballu ..."

"Ia, dwi'n gwbod be' ydi'r blydi menopos!"

"Ond wyt ti, Liam? Go iawn?" Saib. Osh yn bachu ar

ei gyfle i'w helpu'i hun i'r prôn rôl olaf. "Mi wna i siarad hefo hi os ti isio."

"O? A chdi sy'n sgwennu'r Golofn Ofidiau yn yr *Herald* erbyn hyn, felly, ia? Dallt rŵan pam rwyt ti'n rhwbio yn yr Anji 'ma."

"Mond trio helpu dwi."

Gwêl Liam sut mae llygaid Osh yn swyno pobol; cafodd ei eni hefo sêr bach o ddireidi ynddyn nhw. Mae hi'n amhosib i neb fod yn flin hefo fo am yn hir.

"Wel, erbyn i ti ddweud, mae yna un peth y medri di'i wneud i fy helpu fi."

"Debyg i be'?"

"Gwneud dipyn o holi o gwmpas am Ned Singh. Ti'n fêts hefo'i dad o, dwyt?"

"Ydw, ond ..."

"Gwranda, ella mai chdi sy'n iawn am Mono, ei fod o'n cael ei amau ar gam. Ond mae yna rwbath ynglŷn â'r Ned 'ma hefyd, de. Ar bapur, mae o'n ffitio'r bil yn well na'r llall. Wedi'r cwbwl, fo ffoniodd i riportio'r band pan oedden nhw allan yn peintio arwyddion. Sut gwyddai o am hynny? A fo, cofia, oedd y gitarydd cyn i Gari ddod ar y sîn. Ac yn gyn-gariad i Catrin Llywarch ar ben bob dim. Fedra Gari a fo ddim diodda'i gilydd, yn ôl pob sôn."

"Gibs."

"Be'?"

"Gibs roeddan nhw'n galw'r boi yn y llyn. Ar ôl ei gitâr. Neb yn ei alw fo'n Gari. Mond deud. Rhag ofn i ti beidio swnio'n cŵl o flaen y bobol ifanc 'ma."

"Dydi bod yn cŵl ddim yn rhan o'n job i."

"Wel, mi ddyla fo fod. Ella basat ti'n cael gwybod mwy ganddyn nhw wedyn."

Dydi Liam ddim am roi i Osh y boddhad o wybod efallai fod yna ronyn o wirionedd yng nghanol y bantar. Mae o'n ystyried ei ferched ei hun fel rhai o'r 'bobol ifanc 'ma' y mae o'n cael cymaint o drafferth weithiau i diwnio i mewn i'r un donfedd â nhw. Efallai fod yna ormod o'r plisman yn y ffordd mae o'n eu trin nhwtha hefyd, hefo'i foeswersi a'i reolau. Mae o'n ei ystyried ei hun yn dad da, gofalus; byddai'n fodlon marw dros ei genod. Yn poeni'i hoedal amdanyn nhw. Isio'r gorau iddyn nhw. Sylweddola erbyn hyn nad y stormydd arddegol y mae Erin ac Efa'n mynd drwyddyn nhw sydd ar fai: maen nhw'n datblygu, yn aeddfedu. Y fo sydd ar fai am beidio newid hefo nhw, yn dal i feddwl amdanyn nhw fel efeilliaid saith oed mewn dillad o'r un lliw, a rhubanau yn eu gwalltiau.

Penderfyna Liam O'Shea bryd hynny, uwch ben y cartonau o fwyd tecawê sy'n oeri'n gyflym o dan ei drwyn, mai'r gyfrinach bellach fydd traethu dipyn llai, a gwrando dipyn mwy. Neu mi fydd ei ferched yn raddol bach yn gwrthod ymddiried ynddo, yn rhannu'u problemau, eu jôcs, eu storïau, hefo pobol eraill. Y peth olaf mae arno'i isio ydi iddyn nhw bellhau oddi wrtho heb iddo sylwi bod hynny'n digwydd.

Megis dros nos.

Fel mae'i wraig wedi'i wneud eisoes.

OSH

Fel mae hi'n digwydd, dydi Osh ddim yn gorfod pendroni'n hir ynglŷn â sut i holi tad Ned Singh yn disgrît am symudiadau diweddaraf ei fab oherwydd, yn gynnar fore trannoeth, daw Daf yn unswydd i chwilio amdano fo i'r garej.

Mae'r gymysgedd gyfarwydd o arogleuon petrol ac oel sy'n croesawu Osh wrth iddo gerdded drwy'r gweithdy'n cael yr un effaith arno ag y bydd sawru perlysiau'n ei gael ar gogydd: mae o'n ôl yn ei fyd bach ei hun, ag ogla'r lle'n cyffroi'i synhwyrau. Wel, nid ei fyd bach ei hun yn hollol, chwaith. Mae Rich T bellach yn rhan mor annatod o'r fenter â'r ffiwms a'r tŵls a'r peiriannau deiagnostic sydd eisoes yn dechrau gosod Beiciau Osh ar fap 'Y Llefydd i Fynd' i unrhyw un sy'n deall ac yn gwerthfawrogi swyngyfaredd beic modur. A Rich ydi'r un rŵan sy'n amneidio'n wyllt i gyfeiriad yr 'offis' ym mhen draw'r gweithdy – cwt o fewn cwt lle mae'r cetl, y landlein, a'r peiriant-talu-efo-cerdyn ynghudd o dan dwmpath o waith papur ag olion bodiau oel arno – nes bod ei aeliau cringoch yn llamu fatha cynffonnau wiwerod.

Eistedda Dafydd Singh yn y gadair ddesg droellog, wyrthiol o newydd o hyd, a chanddo banad drioglyd yr olwg mewn mŷg Kawasaki. Mae o'n edrych yn ddoniol o gartrefol yng nghanol y blerwch yn ei sgidia brôg a'i siwt.

"Sori 'mod i wedi landio arnat ti fel hyn, Osh. Ond ddaru ni ddim cyfnewid rhifau mobeil, naddo?"

Gan y byddai holl stumiau Rich gynnau wedi gallu bod yn rhybuddion rhag ymwelydd o'r HMRC neu waeth, mae rhyddhad Osh o weld Daf yn peri iddo ateb yn smala:

"Na, doeddwn i ddim yn dy ffansïo di ddigon, ma' rhaid."

Ond eiliad mae hi'n ei gymryd iddo sylweddoli nad ydi Dafydd Singh wedi dod â'i synnwyr digrifwch hefo fo'r bore hwnnw. Ac eiliad arall i ddod i'r casgliad amlwg fod hyn yn ymwneud â Ned. Rhyfedda Osh pa mor anodd ydi gadael ei hen fywyd ar ôl, yn enwedig a hithau'n ymddangos bod pawb yn troi ato pan fo ganddyn nhw argyfyngau cyfreithiol. Cytunodd i helpu Mono er mwyn gwneud cymwynas ag Angharad (ac roedd hynny hefyd am resymau nad ydi o'n barod i'w cydnabod eto); canlyniadau hynny ydi'i fod o bellach yn gorfod trio cadw'i frawd yn hapus a holi ar gownt Ned. Mae Daf wedi gwneud hynny'n haws iddo rŵan beth bynnag. Gobeithia Osh mai dim ond rhyw fath o gyngor anffurfiol fydd arno'i angen. Yn enw pob rheswm, meddylia, fedra i ddim cynrychioli pawb.

"Mae'r heddlu wedi holi Ned."

"Dydi o ddim angen twrna, felly?" Prin y gall Osh guddio'r rhyddhad yn ei lais.

"Pam fasa fo angen twrna? Dydi o ddim wedi gwneud dim byd." Ac eto, mae yna rywbeth yn oramddiffynnol yn nhôn llais Daf Singh. Bron fel pe na bai o'n credu'i argyhoeddiad ei hun. "Dod acw ddaru nhw. I'r tŷ. Dydi Eira ddim callach, cofia. Does 'na'm pwynt ei phoeni hi ar hyn o bryd." Mae'i lais o'n feddalach, ond yn baglu. Gormod o gaffîn yn y banad 'na gafodd o gan Rich, meddylia Osh, i'w gadw'n hollol wastad. "Roedden nhw wedi darganfod bod yr alwad i riportio'r band am fynd allan i beintio wedi dod o ffôn Ned. Ond nid y fo wnaeth yr alwad, Osh. Dim ond na fedar o ddim profi hynny ..."

"Be' ti'n feddwl? Lle'r oedd o pan wnaed yr alwad ffôn?"

"Adra. Ar ei ben ei hun. Dydi o ddim yn mynd yn ei ôl i Norwich tan wsos nesa." Fel pe bai ychwanegu hynny'n rhoi gobaith i'r sefyllfa. Normalrwydd. Mae Ned yn dychwelyd i Norwich yn mynd i olygu bob popeth yn iawn. Na fydd yr heddlu ddim angen holi mwy arno.

"Hyd yn oed os mai Ned ddaru ffonio, fedran nhw mo'i gyhuddo fo o unrhyw drosedd dim ond am ei fod o wedi riportio rhywun." Y twrna ynddo eto, yn cicio i mewn yn ddigymell.

"Ia, ond wnaeth o ddim. Oedd, roedd o adra ar ei ben ei hun. I fyny yn ei lofft yn chwarae'i gitâr. Roedd o wedi gadael ei ffôn i lawr grisia, ym mhoced ei gôt. Roedd honno dros gefn un o'r cadeiriau yn y gegin, medda fo. Ella bod rhywun wedi dod i mewn i'r tŷ. A fynta heb sylwi, de? Fasa fo ddim yn clywed dim byd hefo'r amp gitâr ymlaen ganddo, beth bynnag ..."

Ia, dyna ydi'r ateb, meddylia Osh. Ysbryd. Neu Santa Clos wedi drysu'i ddyddiadau. Tasa ots, beth bynnag. Mae'i reddf yn dweud wrtho bod yna fwy iddi na dim ond galwad ffôn ddienw. Yn lle pwyso mwy ar Daf, mae o'n troi a rhoi clic i'r tegell. Llenwi'r lle cyfyng hefo sŵn berwi. Rhoi cyfle iddo gynnig y wybodaeth ohono'i hun. Mae mwy i'w gael ambell waith wrth dynnu'r pwysau.

"Y peth ydi ..." medda Daf.

Ia, dyma ni. Gweithio bob tro.

"... doedd 'na ddim llawer o Gymraeg rhwng Ned a'r Gibs 'na. Pawb yn gwybod hynny."

"Ond roeddwn i'n meddwl mai oherwydd ei fod o'n mynd i ffwrdd i Norwich y gadawodd Ned y band? Mai dyna pam y cymrodd Gibs ei le o fel gitarydd?"

"Wel ia, Osh. Dyna'r pwynt. Gadael y band wnaeth o, nid gadael Catrin, ti'n gweld?"

Ydi, mae Osh yn gweld yn iawn. Dydi o ddim yn cymryd jîniys. Nid yn unig bod gan Gibs ei lygad ar le Ned yn y band, roedd ganddo'i lygad ar ei gariad o hefyd. Yr un hen stori. A'r un hen gymhelliad i ladd rhywun sydd cyn hyned â hanes: un boi'n dwyn cariad y llall. Mae cannoedd wedi mynd i'w crogi ar hyd yr oesoedd am weithredu tra'u bod nhw'n ddall i bob rheswm. Cariad. Casineb. Dialedd. Mae'r cynhwysion yma i gyd, ac er gwaetha dirgelwch y ffaith bendant bod car Mono wedi cael ei ddefnyddio yn anfadwaith bore Sul y degfed ar hugain o Fedi, ymddengys i Osh mai'r un hefo'r môtuf gorau hyd yn hyn i lofruddio Gibs ydi Ned Singh.

"Gibs ddaru berswadio Cat i arbrofi hefo cyffuriau hefyd," medda Daf. "Nid nad oedd hi'n dablo ynddyn nhw cyn hynny. Fel'na maen nhw i gyd, debyg gin i. Y sîn roc a ballu, de," ychwanega'n lled-ymddiheurol, fel rhywun ar ddeiet yn ceisio cyfiawnhau bod 'mymryn bach o rywbeth drwg' yn ocê weithiau. "Y drygs ddaeth rhyngddi hi a Ned yn y diwedd. Gibs yn gwybod yn iawn be' oedd o'n ei wneud, doedd? Hudo Cat ato hefo cyffuriau."

Pe bai gan yr heddlu unrhyw dystiolaeth gadarn o hyn i gyd, byddai Ned yn y ddalfa'r funud yma ar gyhuddiad o lofruddio Gari Woodville-Jones. Ond ar hyn o bryd, y cyfan oedd ganddyn nhw oedd y ffôncol yn trio cael Gibs i drwbwl. Yr hyn sy'n rhoi penbleth i Osh ydi bod galw'r heddlu wedi peri i'r band i gyd gael eu llusgo i lawr i'r stesion. Doedd gan Ned ddim asgwrn i'w grafu hefo'r un o'r lleill, nac oedd? Yn enwedig Cat. Sy'n codi cwestiwn arall. P'run ai ydi Ned yn gyfrifol neu beidio.

Be' ar wyneb y ddaear sydd wedi digwydd i Catrin Llywarch?

ANJI

Pe na bai Dyl wedi'i ffonio hi ddoe ... Pe na bai, pe na bai. Pe na bai eirth yn cachu yn y coed. Mi fedrai hi gychwyn pob brawddeg i ddisgrifio holl lanast ei bywyd hefo'r tri gair yna. Pe na bai hi wedi mynychu'r gynhadledd honno yn Venue Cymru yn lle Eic bryd hynny, a wedyn jyst digwydd rhoi help llaw i'r boi mwya rhywiol welodd hi erioed a oedd yn cael trafferth deall y peiriant coffi ... Pe na bai hi wedi bod mor chwerthinllyd o naïf a gwirion i feddwl y gallai hi chwarae gêm fel hyn a chloi'i theimladau mewn bocs ar wahân ... Mi fyddai'r ddwy frawddeg honno'n gorffen yn yr un lle'n union: fasa hi ddim yn y fan hyn rŵan, ei chorff bron i stôn yn ysgafnach ond ei chalon ddwywaith cyn drymed.

Mae hi wedi bod yn ymdopi mor dda. Wedi bod yn anwybyddu pob tecst, pob galwad. Mae hi wedi dysgu'i gwers y ffordd galed ers y diwrnod y gwahanon nhw. Yn gwybod mai'r ffordd orau i agor y briw ydi gwrando ar ei lais. Dywedodd Marian wrthi bryd hynny – ac mae hi'n dal i ddweud – mai'r peth doethaf fyddai dileu'i rif o unwaith ac am byth. Ia, ia, medda hithau. Mae o'n gwneud synnwyr. Ond pe bai hi'n un sy'n ei chael hi'n hawdd dilyn y llwybr synhwyrol, fyddai hi ddim wedi cael affêr hefo dyn priod yn y lle cynta, na fyddai? A dyna hi eto: pe bai; pe na bai. Unwaith y bydd hi'n dileu rhif Dyl, mi fydd hi'n dileu popeth. A dyna sut mae hi'n gwybod ei bod hi mewn lle peryglus o hyd: rhywle yn y stori garu sy'n llechu'n ddwfn tu mewn iddi, mae'r ferch hefo'r ddawn i ailsgwennu'i diweddglo'i hun yn dyheu am i'w chariad ddod yn ei ôl.

Mae hi wedi bod mor gryf. Wel, mae hi, yn dydi? Yn gwylio'i enw'n goleuo ar sgrin ei ffôn, yn edrych ar hwnnw'n canu'n obeithiol, ac eto'n gwrthod ei ateb er gwaetha'r hen ias sy'n llwyddo i'w meddiannu bob tro. Onid ydi hynny'n profi pa mor benderfynol ydi hi i wrthsefyll temtasiwn pan fo hwnnw reit o dan ei thrwyn, o fewn cyffyrddiad botwm? Get rial, medda hi wrthi'i hun wedyn, ar yr un gwynt. Hunan-dwyll ydi o i gyd. Ti angen y *buzz* o weld ei fod o'n dal isio cysylltu.

Blocia'i rif o, Anj. Dyna'r unig ffordd. Dwyt ti ddim isio clywed ganddo fo eto. Hithau'n ateb, yn cytuno hefo Marian yn unswydd rhag i honno golli mynadd hefo hi: nac'dw, siŵr iawn, dwi byth isio clywed llais y bastad eto (ac wedi'i gyfieithu, dim ond er mwyn defnydd ei chalon ei hun: dwi'n meddwl y gwna i ddrysu os na chlywa i ganddo byth eto. Ac os ydi o'n ffonio, mi fydda i'n gwybod na fedar yntau beidio meddwl amdana inna chwaith).

Pan ffoniodd Dyl ddoe, roedd yna niwl glaw mân wrthi'n ei lapio'i hun fel amdo am y dref, roedd corff Gibs wedi'i ddarganfod tra oedd peiriannau wrthi'n gwagio Llyn Gwyryfon ar gyfer datblygiad newydd Woodville-Jones, ac roedd hi newydd ddeall nad oedd

Mono'n ateb ei ffôn am ei fod o'n cael ei holi gan yr heddlu. Cysurodd ei hun wedyn fod hyn i gyd wedi rhoi mwy na digon o esgus iddi dderbyn galwad Dylan.

Roedd hi'n gweithio adra. Mi ddaeth yntau draw ganol bore. Fel o'r blaen. Llithro'n ôl i'w hen arfer fel pe na fuasai gair croes rhyngddynt. Gadael ei gar yn y lle arferol. Dod i'r tŷ trwy'r iard gefn a chuddio'i wallt hefo cap Man U. (Pa well cuddwisg â phawb oedd yn ei nabod yn gwybod ei fod o'n casáu pêl-droed?) Roedd o'n gwneud hynny o hyd, wastad yn mynd yn rhy bell yn ei meddwl hi. Y capiau 'ma, un gwahanol bob tro. Fel petai o'n meddwl bod pobol yn wirion. Fel petai o'n credu mai cael ei ddal hefo hi fasai'r peth gwaetha yn y byd. Roedd hynny'n taro adra bob tro; nid hefo hi roedd o isio mynd yn hen. Ei gwendid oedd yn ei chynnal hi: doedd gwybod nad oedd hi ddim gwerth gadael popeth ar ei chyfer ddim cweit yn brifo digon.

Tan ddoe. Y sgrech honno o gap ffwtbol dalodd y gymwynas olaf: ei hargyhoeddi fel rhybudd tylluan. Er ei bod yn dal i deimlo'r ias, yr awydd am ei gyffyrddiad. Yr angen i gredu'r ystrydebau dwl roedd hi wedi eu hailadrodd wrthi'i hun i gyfiawnhau'r holl dwyll: rhaid cydio ym mhob hapusrwydd pan gei di'r cyfle; wneith hunan-barch mo dy gadw di'n gynnes gyda'r nos. Nes tarodd y gwirionedd hi fel dwrn yn ei hasennau. Chadwodd Dyl erioed mohoni'n gynnes gyda'r nos. Ei wraig a gawsai'r fraint honno. Yr olaf iddo'i gweld cyn cysgu, a'r gyntaf i'w gyfarch wrth ddeffro.

Roedd y gwely'n barod ar gyfer eu caru, y cynfasau'n

lân a sentiog, a'r dillad isa a wisgai i'w groesawu'n rhwbio a chrafu yn erbyn ei chroen, fel pethau byw'n synhwyro na fydden nhw'n gorfod aros yn hir cyn cael eu diosg. Ac yn yr eiliad honno, wrth iddo sefyll yn datod botymau'i grys cyn hyd yn oed edrych arni'n iawn, sylweddolodd Angharad mai goroesi oedd flaenaf yn ei meddwl rŵan, nid hunan-barch.

"Doedd hyn ddim yn syniad da, Dyl."

"Ti'n iawn." Roedd o'n dal i fod heb edrych arni, yn brysur rŵan yn tynnu'i sanau. "Mi ôn i'n cachu brics yn dod ar hyd y lôn gefn 'na, hyd yn oed â hwn am fy mhen. Gwesty'r tro nesa ..."

"Nid y fan hyn roeddwn i'n ei feddwl. Ond hyn. Ni. Ddylen ni ddim." Saib. Er mwyn iddo roi'r gorau i stwna hefo'i fotymau. Aros yn ei ddillad. Edrych arni. "Mi fasa'n well gen i tasat ti'n mynd."

Arhosodd y munudau'n llonydd, a rhewi eu dryswch ill dau'n llun sepia yn ffrâm y ffenest. Tu cefn iddo, a thu hwnt, dim ond yr awyr oedd yn anadlu. Bron na fedrai hi glywed y cymylau'n symud, ac yn sibrwd fatha'r ceir anweledig yn bell ar y lôn bost. Ddaru o ddim dadlau. Dim ond gwneud rhyw ystum 'ocê ta, dim probs'. Brifodd hynny fwy arni na'r distawrwydd adawodd o ar ei ôl: y difaterwch nad oedd angen iddo'i ffugio.

Ac yna, fel pe bai hi'n gymeriad mewn llyfr, canodd ei ffôn. Nid Dylan oedd o, yn crefu arni i ailystyried, ond yr heddlu. Roedden nhw'n ei ffonio ar gais Mono am dwrna, rŵan eu bod nhw wedi ei arestio mewn cysylltiad â llofruddiaeth Gari Woodville-Jones.

Teimlai'i bod hi'n gweithredu ar gyrion hunllef wrth adael negeseuon i ddau gyfreithiwr ei ffonio hi'n ôl.

Yr unig ffordd o chwalu'i ffordd drwy'r niwl yn ei phen oedd creu chwa o brysurdeb; clirio cypyrddau, hel dillad i'r golch. Dyna pryd y cofiodd am ei chôt gwiltiog ddrud yn sychu'n lympiau ers y drochfa ddiwethaf ac yn llenwi bŵt ei char hefo ogla chwadan. Cofia luchio dipyn o beli tenis hefo hi i'r tymbl, neu mi fydd hi'n fflat fatha dresing gown dy nain. Eic, o bawb, y cerddwr mynyddoedd brwd, gynigiodd y cyngor adeiladol hwnnw. Eic, ei bòs addfwyn, oedd wedi'i thrystio i weithio adra ar ei herthygl ddiweddaraf, a hithau wedi gwastraffu bore cyfan (heb sôn am flynyddoedd o'i bywyd) yn piso i'r gwynt. Fe âi yn ei hôl i'r swyddfa'r pnawn 'ma (pe na bai hynny ond i fod yng nghwmni pobol tra oedd hi'n poeni am Mono) ar ei ffordd o siop Wil Hib. Gwerthai hwnnw bopeth o beli tenis i beli lladd gwyfynod. A oedd yn rhyfeddol, nid yn unig am fod mothbols yn perthyn i oes te rhydd a llieiniau bwrdd les, ond am y byddai pob cwsmer bron yn cael moth am ddim yn farw yng ngwaelod ei gwd papur pe bai ganddo ddigon o neges i gyfiawnhau derbyn un o'r rheiny.

Atebwyd ei "Dach chi'n iawn, Mr Hibbert?" hefo:

"Dos allan, y sglyfath! Ia, ffor 'na. Be' tisio? Map?" A ddilynwyd gan sŵn clep ffenest yn cau, ac yntau'n troi ati i draethu ei bod hi'r amser rong o'r flwyddyn i'r blydi pryfaid 'ma fod o gwmpas o hyd, fel petai hi'i hun yn bersonol gyfrifol am fodolaeth pob un.

"Newid hinsawdd, Mr Hibbert. Y tymhorau'n ffeirio lle."

"Dydyn nhw mo'r unig betha i orfod ffeirio llefydd yn ddiweddar 'ma, chwaith."

"Am be' dach chi'n sôn rŵan?"

Amneidiodd Wil Hib i gyfeiriad y ffenest lle dihangodd y pry eiliadau ynghynt.

"Y drygis," meddai. "Yn cwarfod gyda'r nosau yn y caeau chwarae yn y cefnau 'ma. Meddiannu'r lle. Mae hi wedi mynd yn rhemp yn ddiweddar. Ddaw yna ddim plant i chwarae yna bellach. Faint o'r peli 'ma ddudsoch chi?" A wedyn, rhyw dwtsh yn grintachlyd: "Fasa hi'n well i mi roi bag i chi, 'dwch?"

"Na, mae hi'n iawn, diolch."

Ar hyn, gwenodd Wil Hib am y tro cyntaf, a dechreuodd y newyddiadurwraig ynddi, er gwaetha'i gofidiau, synhwyro stori. CHWARAE'N TROI'N CHWERW: HEROIN AR GAEAU'R HIRDRE. Ffrynt pêj job. Byddai Eic yn cael modd i fyw. Mi fyddai'n rhaid iddi drefnu dod yn ei hôl hefo dictaffôn i holi mwy ar Wil. Ac medda hwnnw'n falch a digymell, a'i frest o'n chwyddo'n golomennaidd fel petai o'n deall yn reddfol y rheswm am y sglein yn ei llygaid:

"Dwi newydd osod CCTV yn y cefn. Cofn i rwbath drio dŵad drosodd i rar 'ma. Ond mi fydda i'n barod amdanyn nhw os daw yna rywun."

Dywedodd hyn wrth lygadu bat criced a nythai mewn basgedaid o beli ffwtbol rhwng y cownter a'r drws. Bachodd Angharad ar y cyfle i droi ar ei sawdl cyn i'r truth ailgychwyn a hithau heb yr offer, na'r cyflwr meddwl, i recordio'r perlau i gyd. Roedd hi'n falch o gael rhywbeth i gydio ynddo er mwyn chwalu Dyl – a thros dro, hyd yn oed Mono – oddi ar ei meddwl. Ac wrthi'n ceisio trochi'i hymennydd mewn syniadau am frwydr Wil Hib yn erbyn dîlars yr ardal roedd hi pan gerddodd i lwybr Aled O'Shea.

Pan ollyngodd hi'r peli tenis a gorfod eu gwylio'n bownsio ar hyd y palmant o'i blaen, cafodd yr un ysfa i sgrechian ag a gafodd hi pan sodrodd o'i foto-beic yn ei safle parcio hi'r tro cynta iddi daro arno fo erioed. Wedyn mi wnaeth ryw hen jôc blentynnaidd am Wimbledon. Doedd ganddi ddim mynadd hefo'i lol o, nac hefo'r ffordd y llwyddodd i adael iddi wybod ei fod o wedi sylwi arni yn y rali ddydd Sadwrn diwethaf. Ddaeth o ddim draw ati i siarad chwaith, naddo? Naddo, siŵr Dduw. Llawer haws fflyrtio hefo merched eraill pan nad ydi dy wraig di hefo chdi, dydi? Neu dyna a feddyliodd hi nes y dywedodd o mai cadw cwmni i'w chwaer-yng-nghyfraith roedd o, ac mai'i merched hi a'i frawd oedd yr efeilliaid oedd hefo nhw.

Hyd yn oed rŵan, wrth feddwl yn ôl, fedar Angharad ddim egluro'r pwl sydyn o genfigen a deimlodd y diwrnod hwnnw pan welodd hi Osh hefo merch arall. A'r rhyddhad annisgwyl a ddaeth drosti ddoe o ddarganfod mai'i chwaer-yng-nghyfraith oedd hi wedi'r cyfan. Dydi hi ddim fel petai hi'n ffansïo'r boi 'ma. Ydi, mae o'n bishyn, yn gymysgedd eitha deniadol, pe bai hi'n fodlon cyfaddef hynny, o ddireidi bachgennaidd a lledar du. Does ganddi ddim amheuaeth nad oes ganddo yntau'i stori a hanner. Ond dydi hi ddim, ar hyn o bryd, mewn sefyllfa i wrando arni. Ydi, mae hi'n sengl fel yntau, yn rhydd i weld unrhyw un. Mae hi'n rhydd ers blynyddoedd; ei dewis hi oedd ei chadw'i hun yn ecsgliwsif i ddyn priod nad oedd, yn ôl ei gyfaddefiad ei hun, yn malio'r un rhech pe bai hi'n canlyn rhywun arall yn ogystal. Golau mawr coch yn fflachio arni os bu yna un erioed, a hithau'r hulpan wirion iddi'n cymryd ei dallu ganddo. Roedd hi mewn cariad hefo Dylan dros ei phen a'i chlustiau; doedd dim lle yn ei chalon i neb arall. Yn wahanol iddo fo, a oedd yn mynd i'r gwely hefo'i wraig bob nos.

Fu hi erioed yn gaeth i gyffur, ond mae hi'n deall cystal â neb beth ydi bod yng ngafael rhywbeth. Isio mwy. Methu'n glir â rhoi'r gorau i'r union beth sy'n dy ddinistrio. Dydi hwnnw ddim bob amser yn dod mewn syrínj neu becyn bach plastig, meddylia.

Gwnaeth gam ag Osh ddoe. Ymddwyn fel bitsh oherwydd bod ei bywyd hi'i hun yn ffyc-yp. Ac er gwaetha hynny, mi helpodd o hi, yn do? Helpu Mono. Mono grynedig, ei wyneb fel y galchen. Anghofith hi byth mo'r dagrau yn ei lygaid pan welodd ei bod hi yno'n disgwyl amdano fo. Nac ychwaith ymateb llugoer ei dad dros y ffôn pan ddywedodd ei fod ar ei ffordd yn ôl adra. Pan drodd i chwilio am Osh, doedd yna ddim o'i ôl heblaw ogla egsôst yn crasu ymylon yr aer o'i chwmpas hi a Mono, a sŵn injan beic yn diferu'n ddim.

Rŵan hyn, a'r bore'n newydd, mae'r angen i

ymddiheuro, i egluro – neu dim ond i siarad – yn gryfach na'r stori mae hi ar ganol ei theipio, na'r coffi sydd wrth ei phenelin, na dim byd arall sydd ganddi o'i blaen. Yr angen i gysylltu hefo un.

Ac i ddileu'r llall.

Mae o'n ateb yr alwad o fewn dau ganiad, er bod y rhif yn ddiarth iddo.

"O'Shea?" Mae hi'n sticio at gyfenwau. Haws. Saffach. Gosod y terfyn. "Mond isio diolch eto am ddoe ..."

"Iawn, Kiely?" Bron na fedar hi weld y blydi llgada 'na'n gwreichioni arni dros y ffôn. "Gest ti gyfla i olchi dy gôt?"

OSH

Yn wahanol i Lliwen, ei chwaer, bu'r blynyddoedd yn garedig wrth Eira Singh. Dyna'r peth cynta a feddyliodd pan welodd o hi yn y rali ddydd Sadwrn hefo Daf. Yng ngolwg Osh, prin ei bod hi wedi newid dim ers eu dyddiau ysgol. Cofia sut y bu mewn cariad hefo'r wyneb siâp calon 'na, yr ên fain a'r bochau cerfiedig. Mae hi'n wastad wedi'i atgoffa, ers pan oedden nhw'n ifanc, o lun môr-forwyn mewn llyfr plant. Ac nid y fo oedd yr unig un i wirioni'i ben amdani. Ond doedd gan Eira Tomos, fel roedd hi bryd hynny, ddim amser i neb heblaw Daf. Mae o'n rhyfeddu o hyd at hirhoedledd eu perthynas, y cariadon ysgol a briododd ei gilydd. Ac a arhosodd hefo'i gilydd. Camp a fyddai wedi bod tu hwnt i Osh ac i'r rhan fwyaf o'u cydnabod. Mae o'n cael ei demtio i ofyn iddi beth ydi'r gyfrinach fawr. Ond yn lle hynny gofynna:

"Ydi Daf o gwmpas?"

Mae hi newydd ymddangos yn ei menig garddio tu ôl i bladres o goeden *hydrangea*, yn edrych yn debycach heddiw i Flodeuwedd nag i unrhyw fôr-forwyn. Daw'n amlwg iddo, wrth iddo sylwi ar y coed bach bytholwyrdd yn eu potiau sydd wedi cael eu trimio mor berffaith maen nhw'n edrych fel rhai cogio, mai ei thiriogaeth hi'n unig ydi'r ardd. Yn ôl ei cholur, a pherffeithrwydd ei haeliau tywyll, mae'n amlwg mai 'mêc-ofyrs' ydi'i 'pheth' hi.

"Pam? Dydw i ddim digon da i ti?"

"Eira, paid â fflyrtio. Dydi o ddim yn dy siwtio di. Mi rwyt ti a Daf yn dal i fod yn rhy gyfoglyd o lyfi-dyfi i hynny gael unrhyw fath o effaith!"

Mae'i gwên hi'n berffaith wyn hefyd, fatha adfyrt past dannedd; er nad ydi'r blynyddoedd wedi cael fawr ddim effaith ar harddwch ei hwyneb a'i ffigyr, mae Osh yn fodlon betio'i bod hi wedi talu'n ddrud am honna. Na, dydi Daf ddim wedi dod adra am ei ginio heddiw. Apwyntiad brys.

"Rhyw ddynas wedi dal stwff lladd pryfaid ffor' rong a'i sgwyrtio fo i'w llgada! Mond fi sy 'ma. Ned wedi mynd i chwilio am bâr o drênyrs newydd cyn mynd yn ei ôl i Norwich wicend 'ma. Gymri di banad?"

Na, nid panad mae arno'i hisio. Nid gweld Daf mae arno'i isio go iawn chwaith, ond, yn hytrach, holi Ned. Cael golwg ar ei ffôn o. Os ydi'r hyn mae Daf yn ei gredu'n wir, nad Ned riportiodd weithgarwch Doctor Coch i'r heddlu, yna mae rhywun arall wedi defnyddio'i fobeil o. Ond pwy? A sut? Mae Osh yn argyhoeddedig fod a wnelo hyn rywbeth â diflaniad Catrin Llywarch, os nad â marwolaeth Gibs. Sylweddola, er gwaethaf eu perthynas berffaith, nad ydi Daf Singh wedi sôn dim wrth ei wraig ei fod o wedi bod draw yn y garej yn rhannu'i bryderon am eu mab.

"Mi welais i Lliwen ddechrau'r wsos." Dydi o ddim

ond yn dweud hynny am ei fod o'n teimlo y dylai ymestyn y sgwrs am funud neu ddau eto. Bod yn boléit. Mae Eira'n dlws i edrych arni, ond yn wahanol i sut roedd hi'n ferch ysgol, dydi'i chwmni hi ddim yn cynhyrfu rhyw lawer arno. Nes iddi ddweud, braidd yn annisgwyl:

"Ma' isio gras hefo honno'n ddiweddar hefyd."

"Taw â deud." A dyna'r cyfan sydd ei angen arno. Tri gair nad ydyn nhw'n gwestiwn o gwbwl, a'r llygaid 'na sy'n denu cyfrinachau.

"Ma' hi wedi pwdu hefo fi ers dyddia rŵan. Wel, ers noson fy mhen blwydd i. Yr unfed ar hugain, i fod yn fanwl gywir." Edrycha i fyw ei lygaid o wrth ddweud hyn, fel petai hi'n disgwyl iddo sgwennu cardyn hwyr.

Y cyfan a wna Osh ydi codi'i aeliau. Does dim angen Rhodd Mam arno.

"Roedd hi wedi trefnu i ddod draw yma. Rhannu potel win a jangl." Mae hi'n wahanol hefo'i chwaer, mae'n rhaid. Fedar o ddim dychmygu Lliwen yn cael 'jangl' hefo neb. "Ac i gael dipyn o heddwch."

"Heddwch?"

"Roedd Prysor, y fenga 'ma sgin i, yn mynd draw at Arthur, mab Lliwen, am wers dryms. Mi fasa yno ddiawl o dwrw, basa? Gwneud sens iddi bicio yma tra roedden nhw wrthi. Arthur ydi drymar Doctor Coch," ychwanega, braidd yn ddiangen, ac mae dweud enw'r band yn ei sobri hi. "Ma'r holl fusnes 'ma'n drasig."

"Ydi," cytuna Osh. "Uffernol. Ddaeth hi ddim draw, felly?"

Am ennyd, teimla'n ansensitif yn ei frys i symud y stori yn ei blaen, ond mae'n amlwg na sylwodd Eira ar hynny.

"O, do," medda hi. "Ond mi newidiwyd plania'r hogia funud ola. Prysor 'ma'n cofio'n sydyn bod ei wers *karate*'n clasho hefo'r wers drymio. Ac roedd o wedi talu am y *karate*, doedd? Doedd dim ots gan Arthur. Rhywle arall i fynd, medda fo. Does ganddyn nhw i gyd, yn does? Eniwe, roedd yn rhaid i mi ollwng popeth y munud hwnnw i ddanfon Prysor cyn i Lliwen landio. Job ddeng munud. Ond mi ges i fy nal, yn do?"

"Dy ddal?"

"Trelar wedi dod yn rhydd oddi wrth landrofar ar bont Hirdre, de? Ôn i am oria'n styc yn fanno. Blydi ffarmwrs. Ac mae'r signal ffôn ar y bont 'na fatha tasat ti'n trio ffonio o'r lleuad. Iwsles!"

"Poen yn din o beth."

"Ti'n deud wrtha i! Erbyn i mi gyrraedd adra, roedd Lliwen wedi bod ac wedi mynd. Gadael y presant ar fwrdd y gegin. Adawodd hi mo'r gwin chwaith, y jadan gynnil."

"Ac mi bwdodd am nad oeddet ti adra?" Dydi o ddim yn synnu. Ychydig roedd hi'n ei gymryd erioed i bechu Lliwen.

"Wel, do, i ddechra. Ond mae ganddi bethau mwy i fynd drwyddyn nhw rŵan, does? Dwi wedi trio cysylltu hefo hi droeon, ond fel'na ma' Lliwen. Mynd i'w chragen pan fydd hi'n stresd ..."

Mae'n amlwg fod Eira'n teimlo'i bod hi wedi

ymddiried gormod yn y ffordd mae hi'n rhoi'i sylw'n ôl i'r goeden *hydrangea*, ac yn ffidlan hefo'i menig. Ond dydi Osh ddim yn fodlon gollwng yr asgwrn.

"Be' sy'n bod hefo Lliwen, Eira?"

Mae'i gwedd hi'n gwelwi.

"Rhaid i ti addo peidio sôn dim wrth Daf." Sylwa Osh ar y modrwyau'n wincio ar ei llaw chwith wrth iddi dynnu'i menig garddio. "Nid ein bod ni'n arfer cadw pethau oddi wrth ein gilydd ..."

Deud ti, meddylia Osh.

"Mae'r busnes 'ma hefo Gibs wedi 'ffeithio dipyn mwy arni hi nag ar neb arall. Wel, heblaw am ei rieni fo, wrth gwrs ..."

"Pam? Oedd hi'n ffond ohono fo felly?"

"Teimlo i'r byw dros ei dad o mae hi."

"Ei rieni o, ti'n feddwl? Nid jyst ei dad o?"

"Wel, ia, wrth gwrs, ond ..."

Mae Eira'n syllu i ganol y blodau mawr â'u pennau'n dechra britho fel merched heb drin eu gwalltiau. Ac mae Osh yn gorffen y frawddeg drosti.

"Lliwen a Woody?"

"Maen nhw'n gariadon ers blynyddoedd maith, Osh. Wel, ers cyn iddi adael i fynd i Lundain ers talwm ..." Hefo'r *hydrangeas* mae hi'n siarad, fel petai hynny'n ei gwneud hi'n haws iddi fradychu cyfrinach ei chwaer.

"Blydi hel. Eira ...?"

"Ia," medda hi. "Fo ydi tad Arthur hefyd."

"Dydi Daf ddim yn gwybod, yn amlwg?"

"Does yna neb yn gwybod, Osh. Meddylia'r miri

tasa hyn yn dod allan. Fiw i neb wybod, ti'n clywed? Yn enwedig rŵan ..."

Ia, meddylia Osh. Yn enwedig rŵan. A fynta'n gwybod bellach fod Lliwen wedi bod yng nghegin y Singhs heb i neb sylwi. Ar ei phen ei hun. Ar noson pen blwydd Eira. Nos Wener, yr unfed ar hugain o Fedi. Noson y peintio. Y noson pan wyddai nad oedd ei mab ei hun yn mynd i fod hefo gweddill y band am ei fod o'n rhoi gwers dryms i Prysor. Mae'n amlwg ei bod hi'n gwybod, rhywsut, beth oedd gan Doctor Coch ar y gweill. Ond aeth pethau o chwith, yn do? Ymunodd Arthur Twm hefo'r lleill wedi cwbwl, am fod Prysor wedi canslo. A chael ei arestio hefo nhw o ganlyniad i'w fam ei hun yn eu riportio nhw i'r polîs. Dyna pam y pwdodd Lliwen hefo Eira. Methodd Eira â chysylltu i ddweud na fyddai Arthur yn rhoi'r wers i Prysor wedi'r cyfan.

Mae Osh yn dechra credu y gall ei ddamcaniaeth ddal dŵr. Ond yn gynta mae'n rhaid iddo wybod i sicrwydd mai Lliwen a ddefnyddiodd ffôn Ned. Mae hi wedi bod yn glyfar. Hynny ydi, os mai hi sydd yn gyfrifol go iawn. Mi fyddai hi wedi gorfod meddwl ar ei thraed, yn byddai? A phe bai angen pwyntio'r bys at unrhyw un, pwy fyddai'n ffitio'r bil yn well na Ned? Mi fasa hwnnw wrth ei fodd o gael y cyfle i achwyn ar Gibs, wrth gwrs, ond pam mentro cael y lleill i drwbwl? Arthur ei gefnder? Mono? Ac, o bawb, Catrin?

Yr hyn sy'n ddirgelwch i Osh o hyd, fodd bynnag, ydi rheswm Lliwen dros ffonio'r heddlu. Oedd, roedd ganddi'r cyfle perffaith. Ond beth oedd ei chymhelliad? Os mai Lliwen wnaeth yr alwad, mae hynny'n tynnu Ned allan o'r ffrâm.

Ond be' ddiawl fyddai gan Lliwen Tomos yn erbyn unrhyw un o aelodau Doctor Coch?

DCI LIAM O'SHEA

"Ma' gin i ddê off."

Ac mae Liam yn gwybod o'r olwg ar wyneb Osh mai'r hyn y mae'i frawd isio'i ddweud ydi: i be' wyt ti'n treulio dy ddiwrnod rhydd hefo fi pan fod dy briodas di angen sylw? Pam nad ei di â Nerys, dy wraig, am ginio bach rhamantus a mynd â hi wedyn am dro rownd dwy neu dair o siopau neis? Mae merched yn lecio shit felly. Yn lle hynny, yr ymateb (hollol nodweddiadol a disgwyliedig) mae o'n ei gael ydi:

"Ti'n siriys? Golff? Gêm i hen gojars mewn trowsusa clown a jympyrs naff."

Wedyn daw'r llith esgusodion: sut mae disgwyl iddo fo gario bag o golff clybs (tasa ganddo fo rai, eniwe) ar gefn moto-beic? O, a heblaw am hynny, does ganddo fo mo'r ffansi drès angenrheidiol, wir, i flendio i mewn hefo gweddill y twats sefnti-symthing breintiedig sydd hefo gormod o amser ar eu dwylo.

"Awn ni ar gwrs naw twll Em Bryn Rhedyn i ganol y plebs, yli. Mi gei di wisgo welingtons a string fest yn fanno os leci di. Ac mi ddo' i i dy nôl di. Hefo car. Un hefo bŵt a phob dim i gario gêr. Ma' gin i glybia sbâr gei di."

Gŵyr ei fod o wedi llwyddo i fagio Osh i gornel gan

mai'r cyfan sydd ganddo ar ôl bellach i'w amddiffyn ei hun ydi sylwadau anaeddfed am naw twll Em, a rhyw un ymdrech dila arall i drio cael allan ohoni:

"Dwi i fod i ddechra ar hedlamp confyrsion pnawn 'ma."

"Paid â malu cachu. Rich sy'n grafftio go iawn acw. Cwbwl ti'n neud ydi diflannu i'r offis fatha Gari Wyn. A welish i neb hefo awr ginio mor uffernol o hyblyg. Ti'n blydi naitmer."

Hanner y stori mae Osh yn ei chael wrth gwrs. Y gwir ydi fod Liam wedi awgrymu eisoes i Ner y dylen nhw dreulio diwrnod bach hefo'i gilydd. A'i bod hithau wedi gwrthod. Nid na fyddai hi wedi mwynhau, wir rŵan, ond ... Roedd hi'n well nag Osh am roi esgus. Pendant a dim trafodaeth i fod. Rhyw drefniant hefo hyfforddwraig y dosbarth pilates. Sesiwn unigolyn. Y ddynes wedi newid ei hamserlen yn arbennig ar ei chyfer hi. Roedd hi'n amlwg y byddai'n well gan Nerys gwmni honno na chwmni'i gŵr, felly phwysodd o ddim arni. Fyddai'i falchder ddim wedi caniatáu iddo ddangos bod unrhyw ots ganddo beth bynnag.

Ond mae hi'n haws o lawer ganddo egluro'r rheswm arall dros hudo'i frawd am gêm o golff unwaith bod hwnnw'n ddiogel yn sedd y gyrrwr, ei drênyrs am ei draed ac wedi ffeirio'i siaced ledar am hwdi lwyd. Diolcha Liam yn dawel mai i Fryn Rhedyn maen nhw'n mynd wedi'r cyfan: mi fyddai'r 'twats breintiedig' wedi meddwl ar eu hunion ei fod o'n trio ailadfer rhyw hwdlym hefo tag ar ei goes, ac yn bwriadu'i roi ar waith i gasglu peli fel rhan o'i wasanaeth cymunedol.

"Maen nhw'n dweud ei bod hi'n bwysig darganfod sut oedd rhywun yn byw cyn medru darganfod sut ddaru o farw, dydyn?"

"Wn i ddim. Ydyn nhw? Chdi ydi'r plisman."

"Sôn am achos y car yn y llyn dwi, de?"

Mae Osh yn rhoi'r gorau i gogio pwdu ar amrantiad.

"Hen fastad bach oedd y Gari 'Gibs' 'na, meddan nhw. Ar ddrygs. Stwffio drygs."

"A'r 'nhw' 'ma ydi ...?"

"Daf Singh, yn un."

"Pwy arall?"

"Iwan Môn. Mono. Nid dy ffan mwya di, gyda llaw."

"Ond yn dy addoli di, wrth gwrs. Wn i ddim sut rwyt ti'n ei wneud o, de. Swyno'r adar o'r blydi coed." Dywed hyn yn ddiffuant, gan ystyried unwaith yn rhagor pa mor ddewinol ydi dawn Osh am drin pobol. Wel, nid ei gariadon efallai. Ond pawb arall, bron. Mae gynnon ni i gyd ein man gwan, meddylia. Ac yna: "Sgin ti ddim syniad faint o drafferth gawson ni i gael gafael ar y ffwtej 'na. Yn wahanol i'r hyn mae pobol yn ei gredu, dydi'r camerâu 'ma ddim wedi eu cysylltu'n ganolog. Roedd yr hogia'n dreifio o gwmpas yn chwilio amdanyn nhw'n llythrennol."

Fedar Osh ddim cuddio'i wên wrth glywed hynny.

"Lwcus i mi ta, neu'n hytrach, i Mono, bod yna dderyn wedi cachu am ben y sgrin. Ffwtej o ddiawl.

Blyff oedd hi, de? Mi fasa'n haws i ti gael hyd i dy sbectol mewn sosbennaid o lobsgows."

Yn hytrach na thrio'i amddiffyn ei hun, mae Liam yn mynd ar drywydd arall. Ambell waith, mae rhedeg damcaniaeth drwy ymennydd chwim Osh fel rhedeg data trwy gyfrifiadur, ond dydi o ddim am gyfaddef hynny. Mae o wedi canmol digon arno am un diwrnod; compliment arall o fewn deng munud ac mi fasa angen lledu fframiau drysau iddo fo.

"Wel, mae un peth yn sicr, Osh. Dydi hi ddim yn cymryd athrylith i weld mai llofruddiaeth wedi'i gwisgo fel hunanladdiad sydd 'ma. Doedd yna ddim dŵr yn ysgyfaint y boi. Nid boddi wnaeth o. Felly mae hi'n amlwg bod rhywun wedi'i roi o yn sedd y gyrrwr, a gwthio'r car i'r llyn."

"Yn amlwg? Sut?"

"Y ffordd roedd o wedi'i osod yn y car. Fel tasa rhywun wedi trio stwffio dol i'r sedd. Yn gam, 'lly. Ddim cweit yn wynebu'r tu blaen, fel y basa rhywun wrth ddreifio'n naturiol. Mi fasat ti'n disgwyl gweld rhywun a oedd yn dreifio yn ei flaen i lyn yn cydio yn y llyw hefo'i ddwy law. Oni bai fod gen ti wiplash yn digwydd, mi fasa pen y person yn gwyro ymlaen. Mi oedd ei sgwydda fo yn y lle rong i gyd."

"Mi faswn i'n meddwl ei bod hi'n uffar o job trio gosod boi marw i ista a gafael mewn llyw car. Sa fo'n pwyso tunnall."

"Heb sôn am ddechra cyffio," medda Liam. "Mi fedar rigor mortis gydio yn dy gorff di o fewn cyn lleied ag awr weithia. Rho deirawr iddi, ac mi fasat ti fatha bwr' smwddio. Wnei di ddim stwytho tan o leia ddeg neu ddeuddeng awr wedyn fel y medar rhywun wneud rhywbeth hefo chdi."

"Be' ydi'r 'chdi' 'ma, Doctor blydi Ffrancynstein? Am Gibs rwyt ti'n sôn, cofia."

Dydi hiwmor bachgennaidd ei frawd ddim yn ei gyffwrdd: mae o wedi tiwnio'i ymennydd i'r donfedd-ci-ag-asgwrn.

"Doedd Gibs ddim yn foi mawr. Ond rhwng y ffaith ei fod o'n gorff, a rigor mortis yn dechra rhewi'i gymala fo ..."

"Mi fasa isio rhywun hefo dipyn go lew o fôn braich i'w symud o, basa? Sy'n tynnu Catrin Llywarch oddi ar y rhestr, mae'n debyg. A Mono. Llinyn trôns os bu yna un erioed. Tasa fo ar long hwyliau, mi fasa rhaid ei glymu o i'r mast rhag i'r gwynt fynd â fo."

"Ond mae'r boi'n gweithio mewn lle bwydydd anifeiliaid, cofia. Yn cario sachau a bêls o siafins ac ati bob dydd. Mae o'n gryfach na'i olwg, yn saff i ti. Ac am yr hogan, wel. Haws shifftio rwbath os oes yna ddau ohonoch chi, tydi?"

Mae'r ffaith nad ydi Osh ddim yn ymateb i'w resymeg yn arwydd ei fod o'n derbyn yn gyndyn fod yna rywfaint o sens yn y ddamcaniaeth. Gŵyr Liam nad ydi'i frawd ddim isio i'r Mono 'ma fod yn euog, a bod a wnelo hynny â'r ffaith ei fod o'n dechrau cael rhyw fath o deimladau tuag at Angharad Kiely. Pam arall fasa fo wedi'i bomio hi drwy draffig hunllefus fel arwr mewn stori stribed i achub cam rhyw foi randym? A rhoi'i wasanaeth cyfreithiol yn rhad ac am ddim ar ben y cyfan. Nid fod Osh wedi cyfaddef hynny wrtho. Doedd dim angen. Mae Liam yn nabod ei frawd yn rhy dda. Ni waeth faint mae o'n cael ei frifo, unwaith y daw yna ferch i'r mics a chanddi'r trydan angenrheidiol i hotweirio pen Osh, nid ei frên o sy'n rheoli bob amser. Ond wedyn, dydi yntau chwaith ddim isio bwydo'i amheuon ynglŷn â merch un o'i ffrindiau agosaf. Mae Parch yn mynd o'i go', wedi troi ato fo, Liam, i gael hyd iddi'n holliach. Dydi o ddim isio i Cat Llywarch fod yn euog, ddim mwy nag y mae Osh isio collfarnu Mono. Serch hynny, mae'r ditectif ynddo'n pwyso a mesur y posibiliadau er ei waethaf. O ystyried yr hyn a ddywedodd Dafydd Singh wrth Osh, mae'n bosib y byddai gan Cat gymhelliad a hithau efallai dan ddylanwad rhyw gyffur neu'i gilydd. Ac roedd y neges roedd hi wedi ei gadael ar ffôn Mono'n gryptig, a dweud y lleiaf. Yn y rhan fwyaf o achosion o lofruddiaeth, mae yna gysylltiad rhwng y llofrudd a'r fictim. Yn yr achos hwn, mae'r llofrudd yn amlwg yn nabod yr ardal. Y llyn. Ac yn fwy na thebyg, yn nabod Gibs. Roedd o felly'n nabod Cat hefyd. Ydi o wedi'i lladd hithau?

Ym mhrofiad Liam, mae pobol naill ai'n diflannu o'u gwirfodd, neu dydyn nhw ddim. Mae hi'n A neu'n B. Ac mae B bob amser yn newyddion drwg, yn golygu eu bod nhw wedi cael eu herwgipio neu wedi cael eu lladd, boed hynny trwy lofruddiaeth neu ddamwain. Sut bynnag y mae rhywun yn edrych ar bethau, os nad ydi person yn dewis 'mynd ar goll', mae o neu hi wedi dod i ryw niwed. Fel ditectif, mae'n rhaid iddo gyfaddef mai'r olaf sydd flaenaf yn ei feddwl bellach; fel un o ffrindiau agos tad Cat Llywarch, mae hyd yn oed gorfod ystyried y posibilrwydd yn codi pwys arno. Mae dyddiau wedi mynd heibio. Y cam nesaf rŵan fydd archwiliad manwl o'r ardal. Mae'r ias sy'n ei gerdded yn ei atgoffa o'r tro diwethaf y cafodd o'r ffliw.

O'r diwedd, fel petai o wedi cymryd munud i gnoi cil dros sylwadau'i frawd, a darllen ei feddwl ar yr un pryd ynglŷn â diflaniad Cat, mae Osh yn dechrau rhesymu fel twrna:

"Ocê, ta. Mi gymran ni, am eiliad, mai chdi sy'n iawn ..."

"Am eiliad? Grêt."

"Os mai chdi sy'n iawn," medda Osh drachefn, fel un sydd wedi hen arfer ag anwybyddu eironi o bob cyfeiriad, "a bod Cat a Mono wedi cynllwynio hyn – ac ydi, mae tystiolaeth y camera ANPR yn cadarnhau bod car Mono wedi cael ei yrru gan rywun ar hyd Lôn Hirdre'r noson honno," (gan roi pwyslais awgrymog ar y 'rhywun'), "be' fasa cymhelliad y ddau? Pa fantais fyddai yna i ddau aelod o fand lofruddio'u gitarydd eu hunain?"

"Isio Ned Singh yn ei ôl?"

"Ffyc sêc, Liam, fasat ti ddim yn ei ladd o, ddo, naf'sat? Mond deud wrtho fo am fynd i ffwcio, de?"

"Jôc oedd hi, Osh. Gyda llaw, tria regi dipyn mwy,

wnei di? Dwyt ti ddim wrthi hanner digon y dyddia yma."

"Wedi dweud hynny," medda Osh, yn dewis clywed, am yr eildro, yr hyn y dymuna'i glywed, "dydi'r Gibs 'ma ddim yn fy nharo i fel y math o foi y basai neb wedi bod isio tynnu blewyn o'i drwyn o. Yn enwedig rhywun mor llywaeth â Mono. Mi fasa'n rhaid i bwy bynnag oedd yn mynd i stand-off hefo bwli fatha Gibs fod â dipyn go lew o gythraul ynddo fo."

"Fatha Ned Singh?"

"Be'? Mewn ffrae dros Cat, ti'n feddwl?"

"Mae pobol yn lladd am bob mathau o resymau."

"Deud ti."

Mae sŵn y grafal yn neidio dan deiars y car fel miloedd o ynnau ciaps yn tanio ar yr un pryd wrth i Liam droi trwyn y car i mewn i faes parcio Clwb Golff Bryn Rhedyn. Er bod gwraig Em wedi gosod potiau blodau o gwmpas y drws, dydi'i hymdrechion gobeithiol i droi'r portacabin yn rhywbeth amgenach na'r hyn ydi o ddim cweit wedi llwyddo i argyhoeddi neb bod golffiwrs difrif yn dod yma i bractisio. Serch hynny, mae'r caeau gwyrddion yn llyfn ac yn od o gartrefol, a hynny nid yn unig oherwydd fod hyblygrwydd y rheolau'n caniatáu, os mai dyna'r gair, unrhyw fath o wisg o gap stabal i het cowboi. Nid fod neb yn dewis gwneud hynny, chwaith. Dotia Liam yn barhaus at y parch a ddangosir tuag at gwrs bach diymhongar Bryn Rhedyn: does dim gorfodaeth ar neb i wisgo crys polo a sgidia golff, ond mae'n syn ganddo bob tro faint o'r chwaraewyr sy'n dewis gwneud hynny. Seicoleg tin-dros-ben os buo yna erioed. Rho reolau i bobol, ac maen nhw'n saff Dduw o'u torri nhw. Gwna'n hollol groes ... Mi fedrai Comisiynydd Heddlu'r Gogledd wneud yn waeth na chael Em Bryn Rhedyn fel cynghorydd ar weinyddu cyfraith gwlad, meddylia.

Am y tro cyntaf ers iddo gytuno i gael ei lusgo yma, mae Osh yn dechrau dangos llygedyn o frwdfrydedd. Dengys y tro yn ei wefus ei fod o'n ddigon hapus bod yma rŵan ar ôl gweld mai i'r fan hyn y daw'r werin i chwarae golff. A dengys y bantar ei fod o'n ymlacio o'r diwedd:

"Taswn i'n gwybod, mi faswn i wedi dod â chadair; mi fyddai hi'n brafiach ista i dy wylio di'n trio dod allan o'r byncar. Mae sefyll am oriau'n deud ar goesau rhywun."

Ac wrth i Osh amneidio'n bryfoclyd i gyfeiriad y gwely eliffant o badell dywod, mae Liam yn cofio rhywbeth.

"Mi roedd ganddo fo dywod yn ei sgidia," medda fo.

"Pwy?"

"Gibs. Dyna oedd yn y ripórt ddaeth o'r lab. Olion tywod yn sgidia Gibs, ac yng nghist ei gar. Ac roedd yr un tywod yn y carpedi yng nghar Mono, ar ochr y gyrrwr a'r teithiwr."

"Ti'n siriys?" Dydi pethau ddim yn edrych cystal ar Mono rŵan. Nes i Liam ychwanegu:

"Ond dyma i ti beth rhyfedd. Pan aethon ni â sgidia

Mono i gyd i'w harchwilio, doedd yna ddim gronyn o dywod ar gyfyl unrhyw un ohonyn nhw."

"Be'?" Mae gan Osh ddarlun gwallgo yn ei ben o Mono'n cael ei gertio i'r ddalfa yn nhraed ei sanau. "Aethoch chi â'i sgidia fo i gyd?"

"Dim ond dau bâr o drênyrs oedd ganddo fo i'w enw." Mentra Liam wên wrth halio'r bagiau golff o'r car. "Un am ei draed, a'r llall yn twll-dan-grisia."

"Iesu, lwcus."

"Wel, ia, i Mono, am wn i."

"Naci. I chdi." Er bod Osh yn caniatáu iddo'i hun deimlo pwl o ryddhad ar ran yr hogyn.

"Pam? Be' ti'n feddwl?"

"Wel, lwcus mai dim ond dau bâr oedd gen ti i'w tsiecio allan, de? Diolcha nad ydi Imelda Marcos yn un o dy sysbects di. Chaet ti ddim dê off arall tan Ddydd y Farn."

OSH

Mae yna olwg fwy synfyfyriol nag arfer ar Rich T. Ambell waith, yn y goleuni iawn, mae o'n edrych fel ffigwr mytholegol. Y gwallt hir, mae'n debyg. A'r farf gringoch. Maen nhw'n priodoli iddo ryw ddyfnder cyfrin. Byddai coban Archdderwydd Cymru'n edrych yn blydi osym amdano, meddylia Osh. Fiw iddo fo ddweud hynny wrtho, chwaith, hyd yn oed fel jôc, rhag ofn iddo gael clustan. Yn lle hynny:

"Faint amdanyn nhw, Rich?"

"Be'?"

"Y meddyliau trymlwythog 'na sy'n corddi yn dy ben di."

"Meddwl ôn i, de," a saib i ddrachtio'r diferion olaf o fŷg anferthol sy'n edrych yr un maint â chwpan plentyn yn ei law fawr, "y dylwn i drio byta mwy o fyshrwms."

"Be'? Rhai normal, 'lly?"

Mae o'n cadw'i chwerthiniad yn ei wddw i glecian yn feddal fatha bybl-rap, gan lwyddo i gadw'i wefusau'n llinell syth o hyd. Gŵyr y ddau ohonyn nhw pa mor lliwgar, a dweud y lleiaf, fu perthynas Rich yn y gorffennol hefo sawl rhywogaeth o fadarch. Un da i fod ar goll mewn coedwig hefo fo. Efallai y basat ti ar dy gythlwng ac yn rhynnu nes bod dy geillia di fatha dwy bysan, ond myn uffar i, mi gaet well breuddwydion na Joseff ei hun.

Dydi o ddim yn sylwi ar Angharad. Mae hi'n hawdd i unrhyw un gerdded i mewn heb guro na chanu cloch pan fo drysau mawr y garej yn agored led y pen. Ei chôt mae o'n ei hadnabod gyntaf; y siaced denim a'r sgarff; siliwét ei chorff yn dywyll yn y gwagle gwyn tu ôl iddi.

"Wel, mae hyn yn fraint a hanner," medda fo.

Mae'r ysgafnder yn fasg angenrheidiol i guddio cynnwrf ei deimladau. Ac mae yna ran ohono'n ddig wrtho'i hun, wrthi hi, am iddo orfod gweithio mor galed i reoli'r rhuthr hwnnw o adrenalin sy'n wefr rhy boenus o gyfarwydd. Doedd hyn ddim yn rhan o'i gynllun: dechra ffresh, bywyd newydd a dim cymhlethdodau. Yn enwedig rhai carwriaethol. Addawodd iddo'i hun na fyddai'n syrthio eto. Rhyw oedd rhyw. Doedd hwnnw ddim yn anodd i'w gael, a doedd ganddo ddim bwriad byw hebddo. Ond doedd bwydo'i galon drwy'r mangl hefyd ddim gwerth yr hasl. O achos mai dyna oedd yn digwydd bob tro. Trystio gormod. Cynnig gormod ohono'i hun. Nes bod yna ddim ar ôl. Cofia rannu pacad o dda-da hefo'i ffrindiau yn yr ysgol ers talwm. Ei frên chwech oed yn cofio mantra'i fam: cynigia i bobol erill gynta. Dyna ydi'r peth poléit. Pan roddodd ei law yn y bag wedyn, doedd yna ddim un ar ôl iddo fo. Teimla'r siom hyd heddiw. Roedd hi'n wers fach greulon. Sylweddoli bod rhywbeth yn bod hefo cyngor ei fam; deall nad oedd neb yn gadael dim byd ar ôl i blant bach poléit.

"Rich T," medda Rich T, ar draws ei feddyliau, a chynnig llaw fatha padell ffrio i Angharad.

"Anji," medda hitha, yn gwneud rhyw hen wên fach wirion fatha merch ysgol yn cyfarfod seléb. "Am enw difyr sgin ti! Ond dydi o ddim yn gwneud cyfiawnder â chdi, cofia. Ti'n debycach i garamel siortbred. Neu – na, wn i – *rocky road!*"

Siriys? meddylia Osh. Dwyt ti erioed yn fflyrtio hefo fo reit o dan fy nhrwyn i, Kiely? Dic mŵf os buo 'na un erioed. Mae rhan ohono wrth ei fodd ei bod hi'n trio'i wneud o'n jelys, tra bod rhan arall ohono o'i go' am ei bod hi'n llwyddo.

"Ty'd drwodd i'r offis, Kiely," medda fo, rhyw dwtsh yn sychach nag roedd o wedi'i fwriadu.

Mae hi'n ei ddilyn yn ddigon ufudd, ac yn ista yn y gadair droellog yr eisteddodd Daf Singh ynddi echdoe. Diolcha yntau fod y swyddfa fach yn weddol dwt, a dechrau hofran uwch ben y peiriant coffi Dolce Gusto. Does gan Gari Wyn ddim un o'r rhain, beth bynnag, meddylia. Wel, nid cyn belled ag y gŵyr o, eniwe.

"Be' gymri di? Americano? *Latte*?"

"Ww, dangos dy hun," medda hi. "A ninna yn swyddfa'r *Herald* yn gorfod rhannu tî bag rhwng tri ohonon ni."

Dewisa'r Americano. Maen nhw'n ista mewn tawelwch am ennyd, yn gwrando ar y peiriant yn chwyrnu o ganol y papurach o'i gwmpas, fatha Tlws Cân i Gymru hefo batri ynddo fo. Ac medda hi'n sydyn:

"Mae Mono wedi cael ei gar yn ôl gan yr heddlu."

"Ddaru nhw'i hwfro fo iddo fo?"

"Be'?"

"Y tywod."

"Sut gwyddost ti am hwnnw?"

"Liam."

"Wrth gwrs." Wedyn: "Wn i ddim fedri di'i alw fo'n 'hwfro', ond maen nhw wedi'i gasglu o i gyd, mae'n rhaid. Does yna ddim golwg o dywod ynddo fo rŵan."

"Wyt ti'n meddwl y basa fo'n gadael i mi gael cip sydyn dros y car?"

"Pwy? Mono? Tw rait y basa fo! Chdi ydi'i arwr mawr o rŵan."

"Yr ail yn y ciw, ella, ia?" Ag yntau mor awyddus i ymddangos yn blatonaidd, ddidaro, does ganddo fo ddim syniad faint o effaith mae'i winc fach chwareus arni wedi'i chael ar Angharad.

"Mi ofynna i iddo fo bicio draw hefo'r car yn ystod ei awr ginio felly. Ddo' inna i'w nôl o a'i ddanfon o yn ei ôl i'w waith."

Er gwaetha'i adduned na cheith unrhyw ferch arall chwalu'i ben o byth, fedar Osh ddim peidio meddwl tybed ai esgus bach ydi hwn eto iddi dod draw i'w weld. Cofia'r sgwrs smala honno gawson nhw yn y caffi bryd hynny am eu henwau Gwyddelig yn swnio fel asiantaeth dditectifs. Kiely ac O'Shea. Y bartneriaeth breifat. A bellach mae hi fel petai'r ddau ohonyn nhw wedi disgyn i'r gwaith hwnnw heb yn wybod bron. Gwena wrtho'i hun rŵan wrth ailchwarae pytiau o'r bantar hwnnw y mae o eisoes wedi'i lawrlwytho i'w gof: *cyfreithwyr, busnes casglu sgrap. Ditectifs. Dwyt ti fawr o dditectif chwaith, nac wyt? Neu mi fasat ti wedi ffendio allan pwy oeddwn i* ... Roedd y sbarc wedi'i chynnau rhyngddyn nhw o'r cychwyn, dim ond nad oedd yr un o'r ddau yn y sefyllfa orau i sylweddoli hynny. Ydyn nhw mewn gwell lle erbyn hyn, tybed? Go brin, meddylia. Ac eto ...

Mae Rich T wrthi'n gorffen gosod hedlamp newydd ar feic – sef y joban honno roedd Osh wedi honni wrth Liam ddoe ei fod o'n gyfrifol amdani – fel maen nhw'n gadael clydwch y swyddfa fechan.

"Sortyd, Bòs," medda'r arbenigwr myshrwms, yn sythu o'i gwrcwd ac yn camu'n ôl i edmygu'i waith ei hun.

Gwrthododd ymuno hefo nhw am goffi o'r peiriant ymhonnus gynnau: mae o'n dipyn o berffeithydd, ac mae Osh wedi dysgu eisoes nad ydi drysu llif meddwl Rich T pan fydd o'n canolbwyntio ar rywbeth penodol mo'r syniad gorau. Mae o yn ei elfen rŵan, yn syllu ar y beic mae o newydd fod yn gweithio arno fel petai o'n edmygu Picasso. Neu – na, efallai ddim chwaith, meddylia Osh wedyn, wrth weld Rich yn tynnu'i law dros flaen yr Harley fe petai o'n mwytho cath. Fasa Picasso ddim yn dod yn agos.

"Clàs, Rich," medda Osh. "Gwd job." Ei dro yntau ydi hi rŵan i fwytho ego Rich. O achos fod arno isio rhywbeth. "Reit handi dy fod ti wedi gorffan hwnna, achos 'dan ni ar y fforensics pnawn 'ma."

Mae cael ei gynnwys yn y gwaith ditectif yn amlwg

wedi plesio. Byddai Osh wedi bod yn barod i daeru fod Rich T yn gwrido'n braf o dan y locsyn coch. Mae o'n eitha siŵr fod y newyddiadurwraig yn Angharad wedi sylwi ar hynny hefyd, oherwydd try hithau'r sgwrs i gyfeiriad Rich. Mae hi'n gwneud y peth dan din 'na mae merched cyfrwys yn arbenigo ynddo wrth holi dyn, a gofyn cwestiwn y mae hi eisoes yn weddol sicr beth ydi'r ateb iddo, gan hoelio'i sylw hefo llgada-llo-bach:

"Un peth arall dwi'n trio'i gael yn glir yn fy mhen," medda hi'n apelgar, "ydi sut fathau o gyffuriau roedd Gibs a Cat Llywarch yn mela hefo nhw. Yn ôl Mono, roedd y ddau mewn dipyn o stad ar ôl y gìg. Roedd Catrin, yn enwedig, yn mynd i gyflwr hypnotig ambell waith, fel tasa hi ddim yn bresennol yn ei chorff. Gwyddai pawb, medda fo, pan fyddai'r ddau'n diflannu hefo'i gilydd am ffics o rywbeth. A beth bynnag oedd o, roedd o'n cael effaith bron yn syth. Achos roedd Gibs, yn enwedig, yn ymddwyn fel pe na bai neb na dim yn gallu'i dwtsiad o. Fel tasa fo'n rhyw fath o siwpyr-hîro. Effeithiau tebyg i LSD ers talwm, de? Ond ôn i'n meddwl mai cyffur y chwech a'r saithdegau oedd hwnnw. Mae yna rywbeth arall sy'n cael yr un effaith, mae'n rhaid."

"Special K," medda Rich, heb oedi.

Er bod Osh yn trio cadw wyneb syth oherwydd natur y sgwrs, gwêl ddoniolwch yr ateb – boi hefo enw sgedan yn rhoi enw cornfflêcs ar gyffur mor uffernol.

"Ydi'r effaith mae pobol yn ei gael hefo cetamin yn digwydd yn syth bìn felly?"

"Powdwr fatha heroin ydi'r rhan fwya o'r stwff

stryd. Lot o shit yn medru bod yn hwnnw 'fyd, de. Neu bilsan. Dyna'r ffordd arferol o gymryd cet. Mae'r hit yn digwydd ar ei union os wyt ti'n ei chwistrellu o, dim ond nad ydi'r hylif mor hawdd i'w gael."

Mae o fatha gwyddoniadur ar gyffuriau, meddylia Osh. Yn enwedig pob dim doji. A daw hoff wireb ei nain i gnoi ymylon ei gof unwaith yn rhagor: y sawl a fu a ŵyr y fan. Mae gwaed Rich T bellach yn burach na dŵr ffynnon, ond pe bai yna gymwysterau i'w cael yng ngholeg byw-bywyd-ar-y-dibyn, mi fyddai ganddo ddoethuriaeth.

"Dwi'n meddwl y cymra i'r *cappuccino* 'na rŵan," medda fo gan rwbio'i ddwylo hefo'i gilydd ac edrych i gyfeiriad Osh fel petai o'n gwybod ei bod hi'n amser iddo gael ei drît gan fod Angharad yn gadael.

Tasa gin hwn gynffon rŵan, mi fasa fo'n ei hysgwyd hi, meddylia Osh yn troi ar ei sawdl i baratoi'r coffi ac yn dechrau dwysystyried pwy ydi'r bòs go iawn yn y blydi lle. Ŵyr o ddim yr eiliad honno mai pris bychan iawn i'w dalu fydd y *cappuccino* erbyn y daw hi'n ddiwedd y pnawn, pan fydd Rich yn cael hyd i ddarn bach o rywbeth yng nghar Mono sy'n dystiolaeth annisgwyl.

Tystiolaeth na chafodd yr heddlu hyd iddi.

Tystiolaeth a fydd yn amhrisiadwy.

Cofia Osh rywbeth a ddywedodd ei frawd ddoe: mae pob llofrudd yn gadael rhywbeth ar ei ôl.

Mae hi'n ymddangos bod y llofrudd yma wedi bod yn hael iawn wrth adael anrheg i Kiely ac O'Shea.

ANJI

Mae Angharad rhwng dau feddwl ynglŷn â galw i weld Marian ar ei ffordd yn ôl i'r swyddfa. Ond mae honno wedi bod dipyn yn od yn ddiweddar. Ddim mor agored hefo'i theimladau ag y bu. Cadw pethau'n ôl. Fel y Siwpyrmodel a'i chacennau cartref. Mae gwraig Dyl wedi ehangu'i busnes gwneud cacennau priodas yn ddiweddar, ac, yn ôl rhyw gwsmer sy'n mynd i'r un dosbarth ioga neu bilates (neu rywbeth arall cyfoglyd o ddosbarth canol sy'n golygu gwisgo legins sgleiniog drud, a stretsio) a ddaeth i'r caffi am banad rhyw ddiwrnod, mae'r Siwpyrmodel wedi ehangu i gyflenwi siopau lleol hefo'i sbwnjys a'i brownis. Amlwg nad ydi hi'n cyffwrdd ynddyn nhw'i hun, meddylia Angharad, dim ond yn elwa ar wneud i bawb arall yn yr ardal edrych yn dewach na hi. A phan gerddodd i mewn i Gaffi Marian un amser cinio a gweld pentyrrau o gêcs bach newydd (a hynod ddeniadol yr olwg, i fod yn gwbwl deg), fe'i cyfarchwyd yn syth gydag amddiffyniad byrlymus a ymylai ar fod dwtsh yn ymosodol ar yr un pryd:

"Mae hi'n bwysig cefnogi busnesau bach, ti'n gwbod, a wel, mae'n rhaid i minna fod yn gystadleuol, yn enwedig â Wendi Caffi'r Bont wedi dechra gwerthu rhyw bethau mwy ffansi. Ac i fod yn deg, Anj, does gen i ddim byd yn erbyn Siwsan, wel, ddim yn bersonol 'lly ..."

Na finna chwaith, meddyliodd Angharad. Ei gŵr hi ydi'r bastad hunanol. Roedd gan Marian berffaith hawl i brynu cacennau gan unrhyw un. Serch hynny, fedrai Angharad ddim peidio meddwl am ddiffyg teyrngarwch ei ffrind fel pigyn yn ei hasennau byth oddi ar yr amser cinio hwnnw. Sylwodd hefyd fod Marian wedi gollwng y blasenw bitshlyd dros nos. Dylai hi fod yn falch o hynny, mae'n debyg. Roedd hi'n wastad wedi teimlo'n ddistaw bach bod galw Siwsan yn 'Siwpyrmodel' yn fwy o feirniadaeth ar ei hamherffeithrwydd hi, Angharad, nag ar wraig Dyl. Byddai Siwsan Polyn Lein, rhwng ffrindiau, wedi bod yn llai canmoliaethus, ac yn ffeindiach wrthi hi'i hun.

Rhed hyn i gyd trwy'i meddwl rŵan wrth gerdded. Ers iddi hi a Dyl wahanu'r eildro trychinebus diwethaf hwnnw, a'r gwely'n dwt ac yn dynn fel parsel heb ei dwtsiad, teimla Angharad heddiw, am y tro cyntaf, ei bod hi'n barod i ystyried rhoi sylw i ddyn arall. Mae yna rywbeth ynglŷn ag Osh sy'n peri iddi deimlo'n ysgafnach, fengach, yn fwy hwyliog yn ei gwmni. Does yna ddim pwysau arni hefo fo i fod yn rhywun arall. I chwarae rhan. Mae o'n ei galw hi wrth ei chyfenw, fel petai hi'n un o'r hogia, ond mae'r ffordd mae'i lygaid o'n gwreichioni wrth edrych arni'n bopeth heblaw platonaidd. Gall uniaethu hefo'r ansicrwydd sydd fel tatŵ anweddus y mae o'n gwneud ei orau i'w guddio.

Ei afiaith sy'n ei denu, ei awydd, bron yn blentynnaidd, i fyw yn y foment. A dydi'r ffaith ei fod o'n edrych fel arwr mewn ffilm gyffro'n gwneud dim mymryn o ddrwg iddo chwaith.

Fel arfer, Marian fyddai'r gyntaf iddi fynnu mynd ati i rannu teimladau mor annisgwyl o obeithiol â hyn, ond mae rhyw chweched synnwyr, rhyw argyhoeddiad na fedar hi mo'i esbonio, yn ei dal hi'n ôl heddiw. A phan wêl fod y caffi dan glo a bod yr arwydd WEDI CAU yng ngwydr y drws, gŵyr fod ei greddf yn llygad ei lle. Yr ofn bod Marian yn sâl neu wedi brifo sy'n cymell Angharad i fynd rownd i'r cefn, a dringo'r grisiau sy'n arwain i fyny at y fflat uwch ben. Oherwydd bod y caffi dan glo, dydi hi ddim yn disgwyl i ddrws y balconi fod yn agored chwaith. Mae'n cael ei siomi o'r ochr orau. Ond er ei bod wedi gwneud hyn ganwaith o'r blaen, wedi agor drws cartref Marian heb guro, a gweiddi: 'Hei! Mond fi sy 'ma!' fel arfer, dydi'r distawrwydd sy'n ei chyfarch y tro hwn ddim yn teimlo'n iawn.

Yn ei brys i tsiecio bod ei ffrind yn holliach, mae hi'n gwthio trwy'r gegin heb sylwi ar y botel win a'r ddau wydryn ar ganol y bwrdd. Pe bai hi'n fwy effro i synau'r distawrwydd, byddai wedi clywed y twyll yn tincial fel cregyn gweigion ar linyn. Pe bai hi'n llai di-glem, fyddai hi ddim wedi cymryd yn ganiataol fod Marian yn ei gwely hefo rhyw aflwydd, nac wedi gwthio'i llaw yn erbyn drws y llofft i sibrwd: Hei! Wyt ti'n ocê?

Dydyn nhw ddim wedi'i chlywed hi, beth bynnag.

Mae eu cusan yn rhy ddwfn, yn rhy breifat, i neb

arall fod yn ei gweld hi. Ond fedar Angharad ddim symud gewyn. Ei hawydd i ddianc oddi wrth yr olygfa ar y gwely sydd hefyd yn ei fferru. Mae o'r un teimlad yn union â methu rhedeg pe bai rhywun yn rhedeg ar ei hôl; methu sgrechian pe bai rhywun yn ymosod arni. Methu pi-pi pan fo rhywun arall yn gwrando yn y ciwbicl drws nesa. Dydi'r hyn sy'n digwydd yn y gwely ddim yn ei hanesmwytho hanner cymaint â sylweddoli pwy yn union sydd yno hefo Marian, er y basai hi'n rhoi llawer iawn yr eiliad honno am allu dad-weld y cyfan. Y ferch arall sy'n arwain, yn rheoli. Mae'i bronnau gwynion yn drwm ac yn famol. Y gwallt hir, cyfoethog 'na. Môr o gyrls. Mae Angharad yn cofio'r gwallt. A'r pen-ôl bendigedig sy'n fwy fyth o ryfeddod a hithau rŵan yn dinnoeth.

Dydi Angharad ddim yn cofio bagio'n ôl oddi wrth y drws. Cofia'n hytrach fod ei bochau ar dân, gan mor ffyrnig o annheg y mae eu gwrid yn ei llosgi. Ai hon ydi mêt Siwsan y Siwpyrmodel o'r dosbarth pilates, felly? Gwneud synnwyr, dydi? Gwragedd rheolwyr banc a DCIs yn hobnobio hefo'i gilydd mewn leicra ganol dydd.

Dim ond bod gwraig DCI Liam O'Shea yn gwneud joban reit dda ar hyn o bryd o hobnobio'n frwdfrydig ar y diawl rhwng y cynfasau hefo Marian, ei ffrind gorau.

Mae arni angen mynd am dro. Clirio'i phen. Mae yna ryw annhegwch gwyrdroëdig yn hyn i gyd. Gŵyr y bydd cadw'r fath gyfrinach yn saff o gymhlethu unrhyw berthynas fydd hi'n ei chael hefo Osh, platonaidd neu beidio. Ond does ganddi fawr o ddewis, dan yr amgylchiadau. Gŵyr Angharad nad ydi'r sawl mae Marian yn dewis cael perthynas gudd hefo fo neu hi'n ddim o'i busnes, mewn gwirionedd, ond blydi hel! Be' ddigwyddodd, mor sydyn, i'r ymddiriedaeth fu rhyngddyn nhw? Ynteu ai rhywbeth sydyn ydi diflaniad hwnnw go iawn, tybed? Faint mae Marian wedi'i ymddiried ynddi hi, mewn gwirionedd, yn ystod yr amser maen nhw wedi bod yn ffrindiau? Hi, Angharad, oedd yr un a oedd yn agor ei chalon bob amser, erbyn meddwl. Ydi hi wedi bod yn hunanol? A ddylai hi fod wedi siarad llai, a gwrando mwy? Mae ei beio'i hun wedi mynd yn ail natur iddi bellach. Ei dibrisio'i hun. Dydi hi ddim hyd yn oed yn siŵr os mai bai Dyl ydi hynny, chwaith. Orfododd o mohoni i gael perthynas hefo fo, naddo? Ac onid pethau felly ydi affêrs, p'run bynnag? Rhyw shams o garwriaethau ar gyfer pobol nad ydyn nhw'n eu hystyried eu hunain yn ddigon pwysig i fod yn flaenoriaeth gan neb?

Eto i gyd, gwrthoda dderbyn mai sham oedd ei theimladau tuag at Dyl. Be' arall oedd y dynfa ddiymwad a fu rhyngddyn nhw? Mor angerddol. Ers cyhyd. Marwor eu perthynas yn dal i lygadu'n goch trwy'r bariau am fod y grât yn gynnes o hyd.

"Miss Kiely? Angharad!"

Mae hi wedi cerdded mor gyflym i gyfeiliant yr hyn sy'n chwyrlïo tu mewn i'w phenglog fel nad ydi hi'n sylwi ei bod hi wedi dod cyn belled â siop Wil Hib. Ers iddi sgwennu'r erthygl am y caeau chwarae, mae hi wedi dechra dod i allu trin yr hen foi'n ddigon deheuig.

Lot o bobol yn medru bod yn ffernols blin nes ti'n dod i'w nabod nhw, meddylia.

"Dach chi'n iawn, Mr Hibbert?"

Mae o wedi dod allan o'r siop i'w chyfarfod hi ar y pafin.

"Digwydd eich gweld chi'n pasio, a meddwl baswn i'n gofyn cymwynas gynnoch chi."

Teimla Angharad yn eitha breintiedig. Fasa'r hen Wil ddim yn mynd ar ofyn pawb.

"Be' fedra i'i wneud i chi?"

"Y CCTV felltith 'ma," medda fo. "Mae o gen i ers canol Medi, a dydw i'n dallt dim sut i'w weindio fo yn ei ôl. Y cwbwl dwi wedi medru'i weld hyd yn hyn ydi mwngral yn cachu yn y tywod draw yn y cae swings yn y fan acw. Meddwl y basach chi'n picio draw rhyw gyda'r nos i fy helpu i sbio drwyddo fo ..."

Yr unig air mae Angharad wedi'i glywed go iawn ydi 'tywod'. Wrth gwrs. Mae'r ateb i ddirgelwch y tywod yng ngheir Mono a Gibs wedi bod o dan eu trwynau'r holl amser. Lle arall fyddai yna dywod o fewn tafliad carreg i'r neuadd lle bu Doctor Coch yn gigio ar noson y rali? Mae cyffro'i sylweddoliad yn cael yr effaith ryfeddol o dawelu'i meddyliau cythryblus ynglŷn â Nerys O'Shea a Marian. Does dim rhaid i Wil Hib ofyn ddwywaith iddi gytuno i edrych ar yr hyn sydd ar ei gamera. Mae hi'n meddwl yn reddfol, yn naturiol, am Osh. Yn estyn ei ffôn.

"Ti'n brysur heno, O'Shea?"

Wrth i Wil ddychwelyd i'w siop, clyw Angharad

dincial y gloch fach dylwyth teg yn gyfeiliant anghymharus i'r geiriau 'bastad peth' y mae o'n eu grwgnach o dan ei wynt.

Gobeithia hithau'n arw mai at y camera cylch cyfyng roedd o'n cyfeirio.

CAT

Mae hi wedi trio yfed o un o'r poteli dŵr a adawyd yn y ffrij, ond roedd hi'n anodd cael hyd i'w cheg. Dydi hi ddim yn hawdd cyrraedd ei thraed chwaith, ond mae'n rhaid iddi lwyddo i dynnu'i hesgidiau. Fedar hi ddim diodda'u pwysau rhagor. Datoda garrai un ohonynt, a phrofi rhyddhad bron yn feddwol wrth deimlo lledar y bŵt yn llacio o gwmpas ei ffêr. Yng ngolau gorffwyll y teledu mud, sylwa ar rywbeth powdrog, cras yn tywallt o'r esgid yn ei llaw. Ai tywod ydi o? Ynteu ai rhan arall ydi hyn eto o'r freuddwyd loerig mae hi wedi'i chaethiwo ynddi? Rhan o'r tywyllwch milain, meddal lle mae'r peiriant yn hymian a'r gwallgofddyn tu allan yn piso chwerthin.

Yn ei breuddwyd, mae'r un ferch yn dod ati, dro ar ôl tro, ac yn gadael pethau iddi, fel angel gwarcheidiol. Mae yna garton ar y bwrdd wrth ei hymyl, un â gwelltyn ynddo a llun mefus ar ei du blaen. Rhyw fath o ddiod iogwrt. Dydi o ddim yn hollol wag, ond doedd o ddim yno'r tro dwytha iddi edrych. Oedd o? Dydi hi ddim yn cofio yfed dim ohono, ond mae'n rhaid ei bod hi wedi gwneud. Dim ond y hi sydd yma. Efallai. Lle mae'r ferch sy'n ymddangos o hyd drwy'r niwl? Y ferch sy'n gadael y poteli ffresh yn y ffrij? Efallai nad ydi hi byth yn gadael, ei bod hi yno trwy'r amser, yn gwylio drosti o'r cysgodion.

Mae'r ymdrech i siarad yn ddychryn iddi, ei gwefusau sychion yn ffurfio'r 'helô', ond does dim byd yn dod allan. Trio eto, a'r gair yn rhwygo'i gwddw fel llafn ar galen hogi. Ond does yno neb, heblaw'r ffrij hefo'r llygad madfall, fel rhyw fath o fod ffugwyddonol anffodus wedi'i dynghedu i rwgnach hyd dragwyddoldeb a neb yn gwrando arno fo.

Am y tro cynta ers iddi'i chanfod ei hun yn y garafán, sylweddola Cat ei bod hi'n dechra teimlo'n wahanol. Yn llai cysglyd. Rhyw deimlad o ddadmer ydi o, fel petai'i chymalau'n trio ystwytho ar ôl bod o dan anasthetig. Ond mae'i chorff yn dal i gael blaen ar ei chof; mae hwnnw o hyd megis wedi styfnigo, yn ei sbeitio hyd yn oed, trwy grogi'i gyfrinachau'r mymryn lleiaf tu allan i'w chyrraedd fel rhywun yn ceisio pryfocio ci sy'n sownd wrth dennyn.

Wedyn daw'r goleuni: rhuthr sydyn o olau dydd a'r ffenest fawr yn nhalcen y garafán yn clirio i gyfeiliant chwalu a chrafu a sŵn fel hwyl yn codi.

Sŵn sy'n sgytio'r frân gyfagos â'r chwerthiniad seicotig o'i choeden ddu.

Ac wedyn, dim ond y hi sydd yno'n sefyll. Yn syllu i mewn arni, a'r olwg ar ei hwyneb yn annarllenadwy.

Y ddynes yn y llun.

Mam Mono.

OSH

Un darn bach o'r jig-so mae hi'n ei gymryd, ambell waith, i ti allu gweld y darlun cyfan yn dy ben.

A rŵan, mae ganddo ddau damaid: un yn llosgi twll ym mhoced ei gôt, a'r llall yn dechra sinjo'i frên.

Maen nhw'n cyfarfod yn y Swan. Mae hi yno'n disgwyl amdano, yn ista yn yr un lle'n union ag yr eisteddodd yntau hefo Daf. Dim cymaint o gyd-ddigwyddiad ag o *ddéjà vu*, meddylia. Yn y fan hyn, yn ddiarwybod, y dechreuodd o gasglu'r darnau i gychwyn. Mae hi wedi codi peint iddo.

"Meddylgar iawn, Kiely." Sylwa ar y sudd oren o flaen Angharad. "Ma' gin i angen casglu'r beic yn y munud, cofia."

"Bicia i â chdi adra os byddi di'n ffansïo un arall. Dwi at dy wasanaeth."

Pe bai unrhyw ferch arall wedi dweud hynny hefo'r un pwyslais ar y gair 'ffansïo', byddai Osh wedi gallu darllen ei bwriad yn weddol ddidrafferth. Mae'r ffin yn denau bob amser rhwng tynnu coes a fflyrtio, yn ei farn o, a hyd yn hyn mae o wedi troedio'r ffordd ganol. Jyst rhag ofn. Er ei fwyn ei hun yn llawn cymaint ag er ei mwyn hi. Gŵyr fod Angharad Kiely mewn lle bregus rŵan. A dydi o ddim yn mynd i gymryd mantais. Mae ganddo ormod o barch tuag ati. A thuag ato'i hun, tasai hi'n mynd i hynny. Mae darllen ambell i ferch fatha 'marfar amynedd ar yr A470, meddylia. Gwell ganddo ddisgwyl am gryfach signal.

"Erbyn faint o'r gloch mae'r hen Hib ein hisio ni?" Celfydd o dyner; dal ei golygon fel bod y ddawns rhwng eu llygaid yn parhau: nid ei gwrthod hi mae o.

"Peidiwch â landio tan ar ôl *Pobol y Cwm*. Dyna ddudodd o."

"Dim byd fel deud yn strêt."

Mae'r sgwrs yn ei hôl ar dir llai annelwig. Ydi o'n synhwyro rhyw fymryn o ryddhad, tybed, o'i chyfeiriad hithau? Fel y bydd rhywun wrth dynnu'n ôl jyst mewn pryd cyn goddiweddyd ar draffordd. Shit, Osh, medda fo wrtho'i hun. Clwb yr Eneidiau Clwyfus, os buo un erioed. Dwi'n credu dy fod ti wedi taro ar dy fatsh.

Mae hi wedi dechrau sôn am y tywod rŵan. Yn gwneud y cysylltiad rhwng y llofruddiaeth a'r caeau chwarae. Fel y mae yntau wedi dechrau cysylltu'r dotiau yn ei feddwl ynglŷn â'r caeau hynny a'r cyffuriau roedd Gibs yn llwyddo i gael gafael arnynt. Y drygis 'ma'n cymryd drosodd. Dyna ddywedodd Wil Hib. Maen nhw wedi hel y plant i gyd o'no bellach. Ac mae Osh wedi dechra meddwl am un cyffur yn arbennig. Special K, medda Rich T y bore 'ma. Cetamin. Ac wrth iddo gysylltu hwnnw hefo'r darn metal sydd yn ei boced, y tamaid bach gwyrdd y cafodd Rich hyd iddo i lawr ochr sedd y gyrrwr yng nghar Mono, a'i siâp yn od o gyfarwydd, yn dilyn y tro yn ewin ei fawd, mae ganddo syniad go lew o'r hyn fydd ar gamera Wil Hibbert.

Os nad ydi o, wrth gwrs, yr un mor blydi iwsles â'r un ar sebra crosing Lôn Hirdre.

Mae eironi'r posibilrwydd hwnnw'n rhoi tro yn ei wefus.

LLIWEN

Mae hi'n gwybod mai dim ond mater o amser ydi hi. Gwyddai hynny o'r cychwyn. O'r eiliad y sylweddolodd hi fod Gibs yn dal i anadlu. Drwy fwg ei sigarét, gall deimlo ias yr hydref yn llechu fel cath dinfain tu allan i'r drws cefn agored. Dydi hi ddim wedi smocio ers blynyddoedd, ond mi ddechreuodd ar ôl y noson honno. Os oedd Arthur yn meddwl bod hynny'n beth rhyfedd, ddywedodd o ddim byd. Dydi o ddim wedi torri'r un gair hefo hi ers diwrnod y rali. Ers iddi orfod dweud wrtho pwy oedd ei dad.

Ers i'r llun ohoni hi a Woody'n cusanu mewn car ymddangos ar ei ffôn o dan sgrech o bennawd: MAMI A DADI! A thecst i gyd-fynd â'r cyfan: *Heno. Ar ôl y gìg. Neu dwi'n gyrru hwn at Arthur.*

Nid felly roedd hi wedi dychmygu y byddai'r dydd Sadwrn tyngedfennol hwnnw'n cychwyn. Roedd hi'n meddwl y byddai pethau'n gwella ar ôl iddi ddal ei thir y tro olaf hwnnw:

"Dwi ddim yn mynd i wneud hyn eto, Gibs. Fydd 'na ddim mwy."

Dechreuodd bywyd ymddangosiadol dawel a boring Lliwen Tomos ddadfeilio o'r munud y sylweddolodd Gibs pa mor hawdd fyddai hi i'w blacmelio. Bu'n bygwth dweud wrth ei fam amdani hi'n cael affêr hefo'i dad pe na bai hi'n dwyn cyffuriau iddo o'r filfeddygfa lle roedd hi'n nyrs ers blynyddoedd. Roedd y tro cyntaf hynnw'n ddiawl o sioc iddi. Gweld un o hogia'r band, un o fêts ei mab, yn disgwyl amdani ym maes parcio'r filfeddygfa ar ôl iddi orffen shifft y pnawn. Meddyliodd yn syth bod rhywbeth wedi digwydd i Arthur, nes i wên oer Gibs beri i'w gwaed ddechrau fferru. Roedd o'n gwybod. Wedi sylwi ar decsts rhyngddi hi a Woody wrth drio gosod rhyw *app* ar ffôn ei dad. Roedd o'n glyfar. Yn gwybod sut i'w rhwydo.

"C'mon, dim ond un botel fach. Wna i ddim gofyn i ti eto, siŵr. Dim ond wan-off fydd hi. Dwi ddim yn fastad llwyr, sti. O, a chwpwl o nodwyddau i fynd hefo fo, ia, Lli?"

Ei galw hi'n 'chdi' o'r cychwyn. Rhag iddi feddwl ei bod hi'n haeddu mwy o barch na hynny. A defnyddio'r talfyriad o'i henw; yr enw roedd Woody'n ei galw yn ei decsts. Yn yr eiliadau hynny, cofia Lliwen iddi gasáu Woody hefyd am ei flerwch yn anghofio dileu'r negeseuon. Onid ei fai o oedd hyn? Ac eto, onid ei bai hi fyddai'r llanast i gyd pe na bai hi'n cytuno i'r hyn roedd Gibs yn ei fynnu ganddi? Doedd hi ddim isio chwalu bywydau, chwalu busnes. Chwalu'r hyn oedd ganddi hithau. Edrycha'n ôl rŵan ar y pnawn hwnnw a rhyfeddu'i bod hi wedi bod mor hawdd i'w chornelu. Mi ddylai hi fod wedi bygwth yr heddlu arno'n syth. Wynebu'r canlyniadau. Ond fel pob un arall sy'n cael ei ddal yng nghlymau'i euogrwydd ei hun, doedd hi ddim yn gallu meddwl yn rhesymegol. Ddim yn gallu prosesu'r bygythiad, na'i weld am yr hyn ydoedd. Ddim yn caniatáu iddi'i hun gredu na fyddai'r trefniant yma byth yn 'ddim ond wan-off'.

Ar ôl mynd adra'r noson honno, gwnaeth Lliwen ddau gamgymeriad arall. Y cynta oedd penderfynu cyfaddef wrth Arthur, ei mab, ei bod yn cael affêr hefo Graham Woodville-Jones. Dim ond y rhan honno o'r stori, wrth gwrs. Dim ond digon i drio lleihau'r difrod. Rhag ofn i Gibs ddweud rhywbeth wrtho, wedi'r cyfan. Dros beint. Mewn practis band. Hyd yn oed ar y llwyfan. Fedrai hi ddim tsiansio gadael cyfrinach fel hyn yng ngofal neidar fatha Gibs. Gallai baratoi Arthur wedyn drwy ymddiried ynddo. Ei ffordd chwithig hi, mae'n debyg, o drio'i amddiffyn. I wneud iawn am y ffaith ei bod hi'n dal i'w dwyllo ynglŷn â phwy oedd ei dad. Roedden nhw mor agos, yn doedden, y hi ac Arthur? Dim ond y nhw ill dau o'r cychwyn un. Fasa fo byth yn ei beio hi am ddwyn awran o gysur rŵan ac yn y man.

A dyna'r ail fistêc. Methodd Arthur â handlo'r wybodaeth. Yn enwedig y ffaith mai blydi tad Gibs oedd o, o bawb. Yn hytrach na'i dynnu'n nes, y cyfan a wnaeth hi oedd gosod pellter rhyngddyn nhw. Ffeirio'r soffa yn y stafell fyw am glamp o eliffant, a hwnnw'n cachu bob dydd am ben bob dim. Yna, un diwrnod, dim ond ar hap, dywedodd Woody fod ei wraig eisoes yn ymwybodol o'u haffêr.

"Fasa hi ddim yn gwneud ffỳs, Lli. Mae hi'n gwneud yr un peth ei hun. Shagio'r trênar yn y *gym* ers dwy flynedd. Dyna i ti uffar o *gliché*. Fatha'r rhaglenni realiti pathetig 'na am wragedd breintiedig chwaraewyr pêl-droed. Cyn hynny, roedd hi'n hel ei thin hefo rhywun oedd yn ei ystyried ei hun yn fêt i mi, boi oedd yn gosod ffenestri i mi yn y tai newydd. Does yna ddim byd rhyngon ni bellach. Stafelloedd ar wahân. Roeddet ti'n gwybod cymaint â hynny, beth bynnag. Mewn cariad hefo'i ffordd o fyw mae Cris, nid hefo fi. Mae ganddi statws drwy fod yn wraig i ddyn busnes llwyddiannus."

Ymdrech oedd honno ar ran Woody i fod yn onest am unwaith, mae'n debyg. Tawelu'i phryderon ynglŷn â chael eu dal. Ond doedd ei eiriau o gysur ddim hyd yn oed yn cyffwrdd ymylon ei hofnau bellach. Nid ers i Gibs ddod yn ei ôl i swnian arni'r eildro. A'r trydydd. Doedd o ddim yn trafferthu i gogio bod yn glên bellach. Ac roedd cyflenwi'r cetamin yn mynd yn anos. Roedd gormod o'r poteli bach yn diflannu. Yr unig ffordd y gallai hi ateb gofynion Gibs erbyn hyn oedd llenwi'r syrinjys yn barod cyn gadael y feddygfa, a stwffio'r poteli gweigion yn eu holau i gefn y cwpwrdd tu ôl i'r rhai ffresh. Drwy wneud hynny, fyddai hi ddim yn hawdd i neb sylwi bod y stoc ar y silff yn edrych yn llai. Roedd y poteli'n dal i fod yno, tu ôl i'r gweddill. Diolchai hithau fod yr hylif yn glir; yr un lliw oedd potel lawn â photel wag i'r sawl nad oedd yn eu hastudio'n fanwl. Roedd y syrinjys yn llai o broblem; haws bachu dwy neu dair ar y tro o nodwyddau cŵn bach, a'u stwffio i bocedi'i hofarôl.

Bu Defis Ffariar yn dda wrth Lliwen. Gwelodd ei

gallu o'r cychwyn, ei dawn gynhenid i drin anifeiliaid, ac ni fu'n brin o ddweud wrthi faint o gaffaeliad oedd hi i'w bractis. Rhoddodd sawl cynnig ar ei pherswadio i ailafael yn ei hyfforddiant, ond roedd Arthur yn dal yn ifanc ar y pryd, a bodlonodd ar y swydd oedd ganddi. Serch hynny, dangosai Defis ei werthfawrogiad o'i gwaith drwy'i thrystio hefo triniaethau mwy cymhleth. Teimlai hithau'n bwysig iddo, ac yntau'n ei thrin fwyfwy fel fet nag fel nyrs gyffredin. Bob tro roedd hi'n dwyn nodwydd, yn llenwi syrínj hefo cet, a chuddio'r poteli cyffuriau gweigion un tu ôl i'r llall, roedd hi'n bradychu'i garedigrwydd, ei ymddiriedaeth, drosodd a throsodd. A'r diwrnod hwnnw y methodd hi edrych i fyw llygad Defis ar ôl bod yn cysuro ci roedd o wrthi'n ei roi i gysgu, sylweddolodd mai dyna'n union roedd hithau'n ei wneud iddo yntau. Tynnu'i llaw dros ei lygaid, a'i dwyllo'n dyner nes byddai dim byd ar ôl.

Dyna'r trobwynt. Gwneud ei safiad o flaen Gibs. Doed a ddelo. *Fydd yna ddim mwy*. Rhyw ryddhad rhyfedd oedd o, wrth iddi sefyll yno'n ei wylio'n troi ar ei sawdl heb yngan gair. Ac roedd yna ormod o boen rŵan, gormod o ansicrwydd yn ei chalon bellach ynglŷn â'i pherthynas hefo Woody; y rhith o berthynas oedd yn cleisio'i hunan-barch ers cyhyd, ac a oedd yn gyfrifol am ei gofid i gyd.

Arhosodd Gibs tan y bore wedyn i ddangos y cardyn roedd o'n ei gadw i fyny'i lawes. Trympio'r cyfan trwy anfon y llun. Rhoi iddi'r sicrwydd iasol y byddai Arthur yn cael gwybod, nid yn unig bod ei fam yn hwran, yn ddîlar ac yn lleidr (geiriau Gibs), ond hefyd mai Graham Woodville-Jones oedd ei dad yntau.

Mae Lliwen yn diffodd ei sigarét, ac yn tanio un arall. Yn gwylio hanes ei bywyd yn ffurfio a chwalu yng nghwafars y mwg. Fu yno neb heblaw Woody. Dechreuodd eu carwriaeth ag yntau eisoes wedi dyweddïo hefo Christine. Hefo Cris arhosodd o, er iddi hithau fynd i ddisgwyl Arthur. Bodlonodd hithau ar lai na hanner perthynas, yn glynu wrth yr esgus fod y plentyn yn eu clymu nhw. Roedd hynny'n haws na wynebu tristwch y ffaith fod arni hi angen Woody llawer mwy nag yr oedd arno fo'i hangen hi. Mae hi wedi cymryd dros ugain mlynedd iddi gyfaddef wrthi'i hun mai'i ego sy'n rheoli Graham Woodville-Jones. Cofia sut y disgrifiodd Cris fel cŵgar ariangar, anffyddlon, a chyfeirio ato'i hun fel 'dyn busnes llwyddiannus'.

Dydi gwyleidd-dra erioed wedi bod yn un o rinweddau Woody. Mae'n debyg mai dyna un o'r rhesymau iddo godi mor sydyn i dop ei gêm. Dydi'r ffaith fod pawb yn gwybod fod ganddo lai o egwyddorion na'i dad o'i flaen ddim wedi'i ddal yn ôl ym myd y busnes adeiladu. Datblygiadau Woodville-Jones ydi'r rhan fwyaf o stadau newydd yr ardal. Ac yn ddiweddar, bu Woody'n ystyried prosiectau mwy heriol, fel datblygu safle Llyn Gwyryfon ar gyfer pysgodfa. Cofia Lliwen ei hwyl ddrwg y noson honno pan ddywedwyd wrtho nad oedd perchennog stad Hirdre Grove am werthu'r tir wedi'r cyfan.

"Dwi'n gytud," medda fo. Roedd hynny cyn hyn i

gyd, cyn y blacmelio, cyn i'w hanfodlonrwydd hi ddod rhyngddyn nhw.

Ychydig a wyddai hi bryd hynny y byddai gor-ŵyr afradus hen lord yr Hirdre'n mynd i drafferthion ariannol dros nos ac yn ailfeddwl ynglŷn â gwerthu tir y llyn, yn llythrennol ar dafliad y dis.

Pe na bai'r dyn ifanc hwnnw wedi bod yn gymaint o rafin anghyfrifol, efallai y byddai gwrachod Llyn Cedor wedi cadw'i chyfrinach am lawer hirach.

Mae hi wedi bod yn un dda erioed am gadw sîcrets. Yn enwedig ynglŷn â thad Arthur. Tan i Gibs glywed y ffrae honno rhwng ei rieni. Aeth eu chwerwedd nhw wedyn yn fêl ar ei fysedd o. A'r munud mae'r gyfrinach fwyaf dan fygythiad – wel; mae pob dim yn dechra raflio wedyn, dydi? Fel llawes hen gardigan wlân.

Yn dechra mynd yn flêr.

Fel y gwnaeth pethau hefo Catrin. Hogan wirion. Cael sterics. Difetha pob dim. Doedd ei chadw hi yn y garafán 'na ddim yn rhan o'r cynllun. Nid fod yno gynllun o gwbwl. Ddim go iawn. Digwyddodd pethau mor sydyn, roedd hi fel petai ymennydd Lliwen wedi newid gêr. Tasan nhw heb wagio'r blydi llyn, efallai na fyddai yna neb wedi bod damaid callach am flynyddoedd ynglŷn â Gibs. A fasa hi ddim wedi gorfod gadael Cat mor hir …

Mi fydd Jen wedi cael hyd iddi erbyn hyn. Anfonodd y tecst ati ers dwyawr o leiaf.

Mae'r hydref yn dechra croesi'r rhiniog rŵan. Ond does dim pwynt cau'r drws. Fyddan nhw ddim yn hir.

Felly mae hi'n ista yn ei chôt, ei hoff siaced ddu hefo'r froetsh ar ei llabed, y llyffant bach metal gwyrdd sydd wedi colli'i goes.

Ac yn cychwyn ar ei thrydedd sigarét.

DCI LIAM O'SHEA

"Roedd y drws cefn yn agored led y pen pan gyrhaeddon ni," medda Liam. "Fel tasa hi'n disgwyl amdanon ni. Ac yn gwisgo'r froetsh honno ar ei chôt. Wn i ddim sut fethon nhw gael hyd i goes y llyffant bach 'na yng nghar Mono."

"SOCOs ar y diawl gin ti, ma' rhaid," medda Osh, yn manteisio mewn eiliad ar y cyfle i feirniadu'r tîm o bobol a fu'n archwilio'r car. "Ac mi rwyt ti wedi cymryd at Mono dros nos, yn ôl pob golwg, rŵan ei bod hi'n amlwg ei fod o'n ddilychwin. Kiely a fi'n gwybod hynny o'r dechra, cofia!"

"Be' ti'n feddwl, 'cymryd ato fo'?" Mae Liam ryw dwtsh yn rhy barod i ymateb yn bigog, a dydi hynny'n affliw o ddim byd i'w wneud â Mono. Nac Osh.

"Ei alw fo'n 'Mono' rŵan, de. Yn lle wrth ei enw llawn. Iwan Môn roedd o'n ei gael gin ti. Siarad fatha plisman."

"Plisman ydw i."

"Ia, rhyw lun, de. Wn i ddim lle basat ti, chwaith, heb help gin i. A Kiely. A Rich T. A Wil Hib. A Daf Singh. Ac Eira ..."

"Iesu, be' wyt ti? Llyfr Genesis? Ta Miss Robaij Inffants yn galw'r gofrestr?"

"Sôn am y Singhs, de ..."

"Chdi soniodd."

"Wel, eniwe, be' oedd esboniad Lliwen dros roi Ned yn y càch hefo'r alwad ffôn honno?"

"Rhywbeth ar amrantiad oedd hynny, coelia neu beidio. Gweld cyfle i ddefnyddio ffôn rhywun arall i gael Gibs i drwbwl. Doedd hi ddim yn meddwl y byddai'i mab hi'i hun allan hefo fo, nag oedd?"

"Y wers ddrymiau'n cael ei chanslo."

"Hollol. Ac er mor glyfar ydi hi, roedd hi'n meddwl byddai dileu'r alwad o lòg y ffôn yn gwneud i'r dystiolaeth ddiflannu. Ond fedri di ddim cuddio cofnodion oddi wrth yr heddlu."

"Keystone Cops un, Lliwen Tomos nil."

"Wyt ti isio'r manylion, ta be'?"

"Cym lymaid o'r peint 'na, Môrs. Mi wneith i ti deimlo'n gleniach."

Nid ei frawd ydi'r un sy'n mynd ar ei nerfau chwaith. Fyddai Osh ddim yn bod yn Osh pe na bai o'n cael hyd i rywbeth i dynnu arno. Ac mae o'n wir. Mi ddylai fod gwell hwyliau arno. Cês wedi'i ddatrys. Cael hyd i Catrin Llywarch yn fyw. Peint bach tawel yn y Swan i gau pen y mwdwl ar bethau. Er nad ydi o ddim cweit yn deall, chwaith, yr olwg roddodd Osh ar ei wyneb ar ôl gweld y bwrdd roedd o wedi'i ddewis. Gwna'i orau i wthio ymddygiad Nerys o'i feddwl. Ei hymateb llugoer i'w alwad ffôn gynnau. I'w awgrym y dylen nhw fynd allan am fwyd heno. Dathlu. Dadweindio. Byddai hi wedi dangos mwy o frwdfrydedd mewn cael cynnig apwyntiad hefo'r deintydd. Mae o'n drachtio'r peint hyd at ei hanner. Ailgydio yn y sgwrs.

"Bechod dros Lliwen 'fyd, sti, Osh. Doedd o'n rhoi dim pleser i mi i'w tsiarjo hi."

"Dan uffar o straen, doedd? Yn cael ei gorfodi i gyflenwi'r cyffur 'na. A'r munud y soniodd Rich am Special K, mi feddyliais i am y filfeddygfa, de. Hefo cetamin maen nhw'n llonyddu ceffylau."

"Roedd hi'n llenwi'r syrinjys yn barod. Haws cuddio'r ffaith oddi wrth Defis Ffariar fod y stwff yn diflannu. Dyna sut roedd hi'n medru cael gafael ar un mor handi i roi jab i Gibs. Beryg bod yna ddigon yn y dos hwnnw i lorio Red Rum. Fedrat ti ddim gweld hynny ar ffwtej Wil Hibbert oherwydd caead bŵt car Gibs."

Ac mae o'n falch, am unwaith, fod Osh wedi dal yn ôl rhag cymharu'r camera preifat hefo tystiolaeth drychinebus yr heddlu o'r camera ANPR. Ond i fod yn deg, roedd y lluniau oddi ar CCTV Wil yn ategu popeth a ddywedodd Lliwen yn ei datganiad. Roedd hi wedi cael neges gan Gibs i'w gyfarfod hefo'r stwff yn y lle arferol, sef, wrth gwrs, yr hen gaeau chwarae nid nepell o'r clwb lle bu'r band yn gigio'n gynharach yn y noson. Man cyfarfod y 'drygis', chadal Wil. Y caeau sy'n cefnu ar ei gartref yntau. Dengys y camera fod Cat wedi dilyn Gibs, ac mae'r ddau'n amlwg yn ffraeo hyd at daro. Cydia Gibs yn Cat gerfydd ei sgwydda, ei hysgwyd yn ymosodol a cheisio rhoi'i law o amgylch ei gwddw. Wrth iddi wthio yn ei erbyn i geisio'i rhyddhau'i hun, mae Gibs yntau'n baglu, disgyn ar wastad ei gefn a gorwedd yn llonydd. Saif Cat uwch ei ben, yn amlwg wedi cynhyrfu'n lân. Mae hi'n estyn ei ffôn i gysylltu hefo rhywun, a dyna pryd mae Lliwen yn ymddangos. Cymer ffôn Cat o'i llaw, a gafael amdani fel pe bai hi'n ceisio'i chysuro, cyn penlinio i archwilio Gibs. Tyn Cat ar ei hôl ac maen nhw'n diflannu i'r cysgodion. Am rai munudau, dim ond llun o Gibs sydd ar y sgrin, yn gorwedd yn llonydd ar ymyl patshyn o dywod lle saif hen lithren rydlyd. Daw'n amlwg rŵan mai yn erbyn troed honno mae o wedi hitio'i ben.

Ymhen ychydig, daw car Gibs i mewn drwy'r porth a bagio tuag at lle mae o'i hun yn gorwedd. Lliwen ddaw o sedd y gyrrwr, a chymell Cat i'w helpu i godi Gibs i'r bŵt. Ar ôl hyn mae'r camera'n dangos Cat yn rhedeg i gornel y clawdd i chwydu. Mae Lliwen o'r golwg tu ôl i gaead y bŵt agored, a dydi hi ddim yn ailymddangos am rai eiliadau.

"Mae Cat yn llwyr gredu'i bod hi wedi lladd Gibs," medda Liam. "Ac mi elli di ddyfalu'r hyn sy'n mynd drwy feddwl Lliwen os mai dyna sydd wedi digwydd."

"Yr ateb i'w phroblemau i gyd?"

"Sbot on! Ond mae angen cael gwared o'r corff, yn does?"

"A lle fyddai'n fwy perffaith na'r llyn diwaelod lleol?"

"Sôn am Lliwen yn meddwl ar ei thraed, de? Mae'r ffordd gyflym mae meddyliau pobol ddesbret yn gweithio yn llwyddo i fy synnu bob tro," medda Liam. "Gweithredu rŵan, difaru wedyn."

"Y broblem oedd," ychwanega Osh, "nad oedd Gibs ddim wedi marw ar ôl cael pancan ar ei ben."

"Nag oedd," medda Liam. "A dwi'n meddwl bod Lliwen wedi sylweddoli hynny eisoes. Mae hi'r peth agosaf gei di at ddoctor, mae'n debyg, dydi?"

"Arglwydd, gwae fi tasa honna byth yn trio fy resysitêtio fi," medda Osh. "Dim ond i fy moddi fi wedyn."

"Dyna oedd ei bwriad hi, mae'n debyg, wrth ei ddympio fo yn y llyn, de. Ond mi sylwodd hi ar ôl ei symud o i'r bŵt ..."

"... mi fuo gynni hi uffar o fôn braich erioed, erbyn meddwl ..."

"Mi sylwodd ei fod o'n dod ato'i hun, estyn am syrínj o'i phoced – un o'r rheiny roedd hi'n eu danfon i Gibs – a rhoi jab iddo fo i'w lonyddu. Dim ond bod y chwistrelliad hwnnw wedi bod yn ddigon iddo fo, o ganlyniad i'r holl gyffuriau oedd yn ei waed o'n barod."

"Mi ddaru hi gyfadda hyn ohoni'i hun?"

"Do."

"Felly dyna ddaru'i ladd o yn y diwedd? Blydi hel. Ac i ffwrdd â nhw wedyn am Lyn Cedor, ia, fatha trip ysgol Sul?"

"Ffycin hel, sut ysgolion Sul wyt ti wedi bod ynddyn nhw, ta?"

Erbyn hyn, mae'r gwydrau peint yn wag, a chan ei bod yn amlwg bellach nad ydi Liam ar frys i fynd adra, â Osh at y bar i bendroni ynglŷn â chysylltiad car Mono hefo hyn i gyd. Ymhen dau funud, mae Liam yn cadarnhau'i ddamcaniaeth trwy fwstásh o ffroth.

"Pen da ar hwn."

"Bron cystal ag un Lliwen," medda Osh. "Ti'n mynd i ddweud wrtha i sut mae car Mono'n dod i mewn iddi?"

"Er dy fod ti wedi dyfalu'n barod?" Mae Liam yn gwenu'n gam. "Roedden nhw angen car sbâr i ddod yn eu holau o'r llyn, yn doedden, yn enwedig â char Gibs yn mynd i ddiweddu yn ei waelod o. Mono wedi gadael ei gar ar ôl tu ôl i'r clwb, yn doedd?"

"A dydi un o ddrysau car Mono ddim yn cloi."

"Nac ydi. Ac ar ben hynny, fel rwyt ti'n gwybod eisoes, mae'r diawl gwirion yn gadael goriad sbâr bob amser tu mewn i'r cysgod haul uwch ben sedd y gyrrwr. Rhag ofn iddo golli'r goriadau sy'n ei boced, medda fo. Pen bach, ta be?"

Dydi Liam ddim yn cael ymateb i hynny chwaith. Tybia fod hyn oherwydd bod Osh ei hun yn euog o guddio goriad ei feic yn y llefydd rhyfedda ambell waith.

"Ac mi roedd Cat yn gwybod hyn, oedd?"

"Lliwen," medda Liam. "Cofiodd bod Arthur wedi sôn rhywbryd fod Mono'n arfer gwneud hynny ar ôl ei ddanfon i ryw garej neu'i gilydd i nôl y car ar ôl prawf MOT."

"Mi fyddai gynni hi gof fatha compiwtar pan oedd hi yn 'rysgol ers talwm."

"Ac mae hi'n amlwg fod ganddi feddwl eitha chwim o hyd. Ond dydi hi ddim wedi trio osgoi cymryd cyfrifoldeb am ddim byd. Mae'i stori hi'n dal dŵr. Mae'r ffaith bod Cat wedi ffonio rhywun am un o'r gloch y bore'n gyson hefo'r amser ar ffwtej camera Wil, a lòg ffôn Mono. Daliwyd car Mono ar gamera Lôn Hirdre toc wedi hyn yn mynd i gyfeiriad y llyn, ac wedyn yn dod yn ei ôl ar hyd yr un ffordd ymhen yr awr ..."

"Howld on! Ddudodd neb wrtha i am hwnnw ..."

"Roedd llun y gyrrwr bryd hynny hyd yn oed yn fwy iwsles na'r un gefaist ti'i weld. Da i ddim."

"Ia, ond beth am rif car Gibs ar y ffordd yno? Chododd yr ANPR mo hwnnw?"

"Naddo, oherwydd nad y ffordd honno yr aeth Lliwen. Mi gymrodd y lonydd cefn. Chwarae'n saff, medda hi, rhag i neb sylwi ar y ddau gar yn dilyn ei gilydd."

"Mi feddyliodd am bopeth, yn do? Anodd meddwl, cofia, nad oedd hi wedi cynllunio'r cyfan. Hyd yn oed tecstio Parch o ffôn Cat."

"Yn ôl Lliwen, cipio Cat a'i charcharu yn y garafán oedd wedi'i phoeni hi fwya ynglŷn â'r holl beth. Roedd hi wedi gadael i Cat gredu mai hi oedd yn gyfrifol am farwolaeth Gibs er mwyn iddi gau'i cheg am yr holl beth. Ond aeth Cat yn nyts, do? Sgrechian a chnadu nes bod yn rhaid iddi roi siot o gyffuriau iddi hithau i dawelu'r sterics. Aeth â hi adra hefo hi gan wybod na fyddai Arthur yn ei ôl y noson honno. Meddwl y byddai hi'n gallu rhesymu hefo hi yn y bore, a chwcio rhyw stori rhyngddyn nhw."

"Ond mi fethodd gael trefn ar Cat?"

"Fedrai hi mo'i darbwyllo i beidio mynd at yr heddlu a chyfadda'r cwbwl. Roedd yn rhaid iddi gael Cat o'r tŷ'r bore wedyn, doedd, cyn i Arthur ddod adra. Ac mi gofiodd fod hwnnw hefyd wedi sôn am Mono'n crybwyll carafán ei fam. Jen yn crefu ar Mono i fynd yno weithiau. Deud ei bod hi wedi newid cod y bocs goriadau i ddyddiad pen blwydd rhyw anifail anwes brynodd hi i Mono ers talwm, cyn iddi fynd a'i adael o hefo'i dad. Eiliad gymrodd hi i Lliwen gael hyd i gofnodion y filfeddygfa ar ei laptop ei hun. Meddylia. Tsiecio dyddiad geni blydi cwningan. Lwcus iddi hi bod cofnodion Defis yn dyddio i saith mlynedd yn ôl. Dyna sut medrodd Lliwen gael i'r garafán, de."

"Blydi anhygoel," medda Osh. "Fatha rwbath mewn nofel, myn uffar i."

"Mi aeth yn ôl ac ymlaen, medda hi, i tsiecio ar Cat. Gofalu bod ganddi ddŵr ac ati. Ond roedd hi'n dal i'w sidêtio hi. Dyna pam fod Cat mewn cymaint o stad, yn methu cofio pwy oedd neb. Mi gafodd Jen, mam Mono, sioc ar ei thin pan welodd hi'r garafán hefo bagiau bin duon wedi eu tapio dros y ffenestri i gyd. Meddylia amdani'n rhwygo un i ffwrdd, a gweld yr hogan 'ma'n sgrechian arni, ac yn meddwl mai hi oedd wedi'i charcharu yno."

"Ond Lliwen gysylltodd hefo'r Jen 'ma felly? Er mwyn iddi achub Cat?"

"Roedd hi'n gwybod erbyn hynny ei bod hi ar ben arni, doedd? Ac fel rwyt ti newydd ddeud, mae'r cwbwl yn darllen fel stori. Pan oedd yr hogia'n fengach, adeg cofrestru'r blydi gwningen yn syrjeri Defis Ffariar, roedd Jen a Lliwen yn dipyn o fêts, cyn iddyn nhw golli cysylltiad ar ôl i Jen gymryd y goes. Ond roedd rhif Jen yn dal i fod yn ffôn Lliwen. Yn anffodus, newidiodd Jen ei rhif yn ddiweddar. Ond yn ffodus …" – mae o'n cymryd saib fel digrifwr plant bach ar lwyfan – "… anfonodd Jen ei rhif newydd yn otomatig i bob cyswllt oedd yn ei hen ffôn. Yn bennaf er mwyn gwneud yn hollol saff na fyddai gan Mono unrhyw esgus i'w hanwybyddu hi."

Erbyn hyn maen nhw'n gorffen eu trydydd peint. Amser rhoi'r gorau iddi, meddylia Liam, neu mi fydd Osh wedi dyfalu nad ydw i ar frys i fynd adra.

"Jyst methu dallt un peth dwi," medda Osh. "Pam na fasa Lliwen ddim ond wedi deud yn syth wrth Woody bod ei fab o'n ei blacmelio hi? Mi fasa hyn i gyd drosodd cyn iddo fo gychwyn."

Mae Liam yn codi ar ei draed, tsiecio'i ffôn. Meddwl y dylen nhw gael tacsi adra. A dweud, heb edrych arno:

"Y petha anodda yn y byd, ambell waith," medda fo, wrth Osh, wrth neb, wrtho fo'i hun, "ydi rhannu dy broblemau hefo'r un sydd agosaf atat ti."

Ac mae'r gwydrau ar y bwrdd yn sbio i fyny arno fo, fatha llgada gweigion.

OSH : Y GAIR OLAF

Dwyt ti ddim yn dod i nabod neb yn iawn, meddylia, nes rwyt ti'n eu clywed nhw'n canu yn y bàth. Mae yna anwyldeb yn amherffeithrwydd ei llais hi sy'n ei gysuro a'i gyffroi'r un pryd. Drwy ddewis ei anwybyddu a chymryd amser iddi hi'i hun tra'i fod yntau yno, dan ei tho hi, llwydda Angharad i ddenu mwy arno. Does bosib nad ydi hi'n sylweddoli bod y ffordd ddidaro, bron yn esgeulus, sydd ganddi o'i drin yn cael effaith arno.

"Gad i mi wneud swpar i ti, ta," roedd o wedi'i ddweud wrthi, ar ôl iddi wrthod ei gynnig i fynd allan am bryd Eidalaidd i gau pen y mwdwl ar y cês; bwrdd i ddau yng nghysgodion Casa Marina'n rhy debyg i ddêt ganddi, debyg.

"Ocê. Ty'd acw. Mae gen i gegin. Sosbenni a phob dim."

Ei thelerau hi. Tybia yntau fod yr elfen 'ma o fynnu cael ei ffordd ei hun yn symptom o'r berthynas hefo'r boi priod hwnnw. Byth yn cael y cyfle i ddewis, i gyfaddawdu. Gŵyr Osh cystal â neb a fu mewn perthynas felly nad ydi cyfaddawd byth yn rhan o'r dîl. Yr un priod sy'n galw'r siots i gyd. Lle. Pryd. Am ba hyd. Dryllio hunan-barch rhywun. Fatha tasat ti'n ista mewn cwch rhwyfo'n gwylio'r person rwyt ti wedi gwirioni dy ben amdano fo – neu hi – wrthi'n drilio twll trwy'r gwaelod. A'r peth gwaetha ydi dy fod ti'n caniatáu iddo fo wneud hynny, a dal i aros yno â dy din yn y dŵr tra bydd yntau wedyn yn nofio'n braf am y lan.

Dyna pam fod Osh yn dallt pam fod Angharad wedi gwneud pwynt o osod y ffiniau rhyngddyn nhw. Dewis cymryd bàth tra'i fod o'n coginio o achos mai dyna'i hawl hi. Fel mae ganddi hawl i roi clo ar y drws. Serch hynny, mae o'n dal i allu'i chlywed hi'n canu hefo'r miwsig ar ei ffôn a thrwy hynny'n unig llwydda hithau i oglais ei ddychymyg cystal â phe bai hi'n sefyll yno'n noeth o'i flaen. Daw yn ei hôl i'r gegin heb sychu'i gwallt. Dim mêc-yp. Mae yna ramant yn y 'peidio trio', y diffyg ymdrech bwriadol sy'n cynnig ei hochr fregus iddo. Heb fod angen iddi yngan gair, mae hi'n cyhoeddi'n glir am y tro cyntaf ei bod hi'n dewis peidio cuddio oddi wrtho. Mae hi'n droednoeth, ei jîns yn mowldio tamprwydd cynnes ei chorff fel dwylo cerflunydd, a'i bronnau'n rhydd o dan y crys-T tenau. Does dim rhaid iddi siarad er mwyn rhoi'r gwahoddiad iddo, dim ond ei ddal yn ei llygaid a disgwyl iddo dynnu'n nes, fel bylb yn dallu gwyfyn. Teimla yntau'r cryndod yn mynd drwyddi wrth iddo redeg ei fawd o dan linell ei boch, ei gwefus, dal ei hwyneb yn ei ddwylo fel cwpanu glöyn byw. Ac er ei fod o'n gwybod yn reddfol beth yw'r ateb, mae yna rywbeth tu mewn iddo, rhyw dynerwch sy'n ei wneud yn amddiffynnol ohoni, isio gofyn y cwestiwn: wyt ti'n siŵr? Yn lle hynny, mae o'n cadw pethau'n ysgafnach, yn synhwyro mai felly mae hi am iddyn nhw fod:

"Finna'n meddwl mai parti gwaith roedd hwn i fod, Kiely."

Ac mae hi'n deall, yn darllen ei fwriad ac yn rhedeg hefo fo:

"Dim pwynt bod yn fòs arnat ti dy hun os na chei di lacio'r rheolau weithiau, nac oes, O'Shea?"

Hyd yn oed cyn iddo gymryd ei llaw, a gadael iddi ei dywys i ganol arogleuon lafant ei gwely glân, cyn iddo lithro'r crys-T dros ei phen a sylwi ar ei gwallt hi'n dechrau sychu'n donnau bach blêr ar ei sgwydda, cyn iddo eiddigeddu at y cysgodion sy'n cael blaen arno wrth anwesu'i bronnau gwynion, mae o'n teimlo fel pe bai o wedi dod adra. Dim ond wedyn, tra mae hi'n swatio yn ei gesail a'u caru'n dal yn gynnes ar hyd y cynfasau, mae o'n mentro gofyn, oherwydd ei bod hi'n ddistaw:

"Wyt ti'n ocê?"

Ac mae hithau'n ateb, yn hanner smala:

"Disgwyl i'r gerddorfa orffen chwarae dwi."

Mae ffôn Angharad wedi canu unwaith yn barod. Rŵan, yn amlwg gan fod rhywun wedi gadael neges llais, mae o'n mynnu dal ati hefo'i rybudd ysbeidiol.

"Well i ti ateb hwnna, dywed?"

"Ei ddiffodd o, ti'n feddwl! Does 'na'm llonydd i'w gael ..."

Ond cyn iddi gael cyfle, daw'r tecsts yn rhibidirês. Un ar ôl y llall. Marian.

"Mae yna rywbeth yn bod," medda hi. Yr hud yn chwalu mewn amrantiad.

Mae'i gesail o'n wag, heblaw am chwa o bersawr ei gwallt lle bu hi'n gorwedd eiliadau ynghynt. Teimla Osh fel pe bai'r awydd am gael llonydd gan weddill y byd, dim ond am noson, wedi'i barlysu am ennyd. Dydi o ddim isio codi o'r fan hyn. Ddim isio gwybod beth ydi argyfwng blydi Marian. Go brin bod y caffi wedi mynd ar dân, o achos mai dyna'r unig beth, yn ei dyb o, i gyfiawnhau'r ffasiwn swnian gwallgof. Mae Angharad yn gwisgo'i grys denim o dros ei noethni, yn gadael y stafell wely i gymryd y galwadau fel pe na bai hithau isio i neb na dim lygru'r hyn maen nhw newydd ei wneud. Gorwedda yntau yno'n rhy hir yn disgwyl iddi ddychwelyd. Yn anfoddog, ond am reswm od na fedar o mo'i esbonio, tyn ei jîns yn frysiog amdano, a mynd i chwilio amdani.

Mae hi wedi plygu dros sinc y gegin, ac mae'r tap oer yn rhedeg. Does yna ddim byd arall yn symud, heblaw'r dŵr. Mae o'n rhywbeth byw, yn parablu'n rhy uchel trwy'r cysgodion hir fel deryn mewn mynwent.

"Damwain car. Mae ... mae rhywun wedi marw."

A fedar o ddim symud yn nes ati. Fedar o mo'i chyffwrdd hi, er eu bod nhw newydd garu, er ei bod hi'n gwisgo'i grys o dros ei bronnau noeth. Agosrwydd benthyg oedd rhyngddyn nhw gynnau. Efallai, pe baen nhw wedi cael llonydd, y byddai wedi tyfu'n rhywbeth cadarnach. Mae arogleuon y bwyd Eidalaidd roedd o wedi'i baratoi ar eu cyfer yn ei watwar: *"Siriys, Osh?" sibryda'r perlysiau fel cymeriadau mewn cartŵn.*

"Oeddat ti wir yn meddwl fod yna jans i hyn fynd i rywle? Chdi a hon a'ch hapi-efyr-afftyr? Callia, ia?"

"Mae Marian am ddod draw," medda hi. Sy'n golygu: dos ditha o 'ma, o achos mae'r boi roeddwn i'n cael affêr hefo fo, y boi na wnes i erioed roi'r gorau i'w garu, wedi cael ei ladd gynnau tra oeddwn i'n dy ffwcio di. Chdi ydi'r un ola dwi isio'i weld rŵan. Ac ychwanega'n dila: "Well i ti gael dy grys yn ei ôl."

Mae hi'n mynd drwodd i'r llofft i newid. O achos, rŵan, fedar hi ddim bod yn noeth o'i flaen o. Ac mae hynny'n ei ladd. Y teimlad o golli rhywbeth na fu ganddo erioed hawl go iawn arno. Glaniodd ei ddyfodol, gynnau, ar gledr ei law. Ond chaeodd o mo'i ddwrn yn ddigon tyn amdano. Dydi hyd yn oed heno ddim ganddo bellach: mi ddigwyddodd, a ddaru o ddim.

Mae hi'n gynnar, a synau'r nos yn ddim ond megis dechra. Hen noson fflat, ac ambell gorn simdda'n mygu'n gyndyn fatha hen ddyn yn dal smôc yn ochr ei geg. Ogla'r awyr yn llosgi, meddylia Osh; y preliwd i holl felan yr hydref. Mae o'n hunanol o falch bod refio'r beic yn ffrwydro popeth yn ddigyfaddawd: mwg dîsl i foddi mwg hen bobol.

Dydi o ddim yn rhoi'r switsh golau ymlaen yn y gweithdy. Mae'n well ganddo'r gwyll. Dau beth sydd ganddo i'w gwneud yma: gadael un a chasglu'r llall. Ac er bod y nodyn mae o'n ei adael yn gryno ac i'r pwynt, mae'r hyder a ddengys Osh yng ngonestrwydd a theyrngarwch Rich T cyn gywired â Ffydd Abraham:

Chdi ydi'r bòs am yr wsnosa nesa. Cardyn y busnes yn y lle arferol. Cymra dy gyflog.

Llithra'i lygaid dros lonyddwch y beiciau modur hefo'r un parch hiraethus â phe bai o'n ffarwelio â cherrig beddi yn y tywyllwch. A stwffia'r can i boced cesail ei siaced cyn cloi drws y garej ar ei ôl. Mae o wedi cuddio'i ffôn yn y boced arall. Fatha un o fêts Hedd Wyn yn y ffosydd ers talwm yn gosod ei feibil dros ei galon. Dim ond nad oedd yna ddim switsh-off ar feibil, nac oedd? Dim ond ei gadw o'r golwg oedd isio, ac anghofio amdano. Estynna'i Samsung drachefn, a'i ddiffodd. Dydi hynny ddim cweit mor galon-galed â'i hanwybyddu hi'n llwyr. Fydd o ddim callach fel hyn os ffonith hi neu beidio. Petai o'n hollol onest, dydi o ddim yn siŵr sut bydd o'n ymdopi os gwelith o'i henw hi'n dod i fyny ar y sgrin. Does arno ddim isio meddwl amdani fel enw. Angharad. Anji. Anj. Jyst 'hi' ydi hi rŵan. Ac felly fydd yn rhaid iddi fod am sbel, neu mi fydd o'n dechrau drysu:

Damia chdi, Kiely. Damia chdi unwaith. Ddwywaith. Ganwaith.

Am fynd o dan fy nheimladau i fel blydi llwynoges yn tyllu o dan rŷn cwt ieir.

Fedar o ddim aros. A fyddai arni hi mo'i isio fo, beth bynnag. Dangosodd hi hynny iddo wrth iddi fynd o'i olwg i ystafell arall i dynnu'i grys oddi amdani. Y crys a wisgodd hi mor braf o ddigywilydd ar ôl iddo fo'i charu hi. Ac mae honno'n ergyd sy'n dal i frathu; mae'i phersawr hi yng ngwead y denim, yn ei orfodi i'w chario hi hefo fo nesa at ei groen.

Mae arni angen galaru am y boi 'ma yn ei ffordd ei hun; yn yr un ffordd y bu iddi ei garu. Yn y dirgel. O dan y rêdar. Fatha'r hen lwynoges fach honno ddaeth i durio dan ei feddyliau eiliadau'n ôl. Yn sawdl rhyw glawdd neu'i gilydd yn llyfu'i chlwyfau, ac yn gorfod diodda heb wneud sŵn.

A bellach, nid ei le o ydi'i chysuro hi.

Mae'r hen lôn heibio'r Wern Isa' fel afon dan rew.

Cofiwch Dryweryn.

Heb yr -*yn.*

Tan rŵan.

Mae o'n estyn i'w boced am y can paent moto-beic. Claerwyn. Fatha'r lôn ar ôl cael chwistrelliad o sbre can y lleuad.

Dau funud.

Dwy lythyren.

Y gair olaf.

Dydi o ddim yn sbio'n ôl wrth aildanio'r Ninja, dim ond defnyddio'r nos; milltiroedd megis rhubanau, neidar o lôn yn llyncu'i phen. Chwaer dlawd yn yr awyr o'i flaen ydi'r hen dduwies heno, clwyfus, ddim cweit yn llawn, a rhyw hen dolc yn ei hasennau fel petai hi wedi cal pynctsiar. Dim ots. Nid honno mae o'n ei chanlyn, beth bynnag: mae'i lloergan i gyd wedi diferu'n grwn i lamp flaen y beic.